W9-BVF-548

Herbert Maeder

Die Berge der Schweiz

Herausgegeben,
fotografiert und kommentiert
von Herbert Maeder
mit Textbeiträgen von
Prof. Dr. Georges Grosjean,
Dr. Ricco Bianchi,
Herbert Maeder
und einer Einleitung von
Dr. Werner Kämpfen

Die Berge der Schweiz

Das Erlebnis der Hochalpen

Buchclub Ex Libris Zürich

Berechtigte Lizenzausgabe für den Buchclub Ex Libris Zürich

Typographische Gestaltung Theo Frey
Schwarzbilder und Farbbilder in Bogentiefdruck
Text in Buchdruck
Gedruckt in den Werkstätten des Walter-Verlags Olten
Printed in Switzerland

Inhalt

Text

7 Dr. Werner Kämpfen, Erlebnis der Hochalpen
9 Prof. Dr. Georges Grosjean, Mensch und Berg in der Zeit
89 Brief von Konrad Geßner, Über die Bewunderung der Berge
92 Dr. Ricco Bianchi, Vom Bau der Alpen
141 Dr. Ricco Bianchi, Die Pflanzenwelt unserer Alpen
154 Dr. Ricco Bianchi, Die Tierwelt der Alpen
225 Herbert Maeder, Bergsteiger werden
239 Herbert Maeder, Die Gefahren des Bergsteigens

Anhang
273 Übersicht der Alpentiere [Wirbeltiere]
274 Schwierigkeitsskala für Felskletterei
275 Gipfelverzeichnis der Schweizer Alpen
287 Technische Angaben zu den Aufnahmen

Bilder

32 Wallis, südlich der Rhone

108 Berner Alpen
Wallis, nördlich der Rhone

172 Tessin
Zentralschweiz
Die Alpen der Ostschweiz
Berninagruppe

256 Bergell
Unterengadin

Werner Kämpfen

Erlebnis der Hochalpen

Wer die Bildbände der letzten Jahre überfliegt, überfliegt – verzeihen Sie das Wortspiel – zumeist auch die Landschaft: das Flugbild herrscht vor, die Sicht erfolgt von einem höheren Standort aus, als ihn der menschliche Fuß jemals zu erreichen vermag. Es ist ein ordnender Blick vom Himmel, aber auch ein kalter Blick aus der Maschine.
Nichts gegen Aviatik und Flugbild, sie haben uns neue Perspektiven und Dimensionen vermittelt, die der Kartographie und Vermessung zugute kamen. Sie führten Malerei und Graphik zu neuen Ein-Sichten. Von so hoch oben sieht die Alpenwelt geordnet aus, und der heutige Mensch, an die ordnende Abstraktion gewöhnt, freut sich an diesem Anblick, vielleicht auch nur, weil von solcher Höhe die Unordnung im einzelnen nicht mehr sichtbar ist, die wir mit Masten und Kabeln, Bausünden und Zersiedelung in der Landschaft anrichten. Hat aber diese photographische Eroberung aus der Luft die Bergwelt nicht versachlicht, ihr die Beziehung zum Menschen genommen? Die Bilder Mittelholzers zeigen noch die Alphütten, jene der Kosmonauten bloß einen Ausschnitt aus dem Atlas.
Herbert Maeder geht noch den alten beschwerlichen, menschlichen Weg. Seine Standorte sind erwandert, erklettert. Man spürt es seinen Bildern an: die Kamera ist unterwegs zum Gipfel oder kommt von dort her. Selbst wo der Mensch nicht sichtbar ist, spürt man seine Gegenwart. Über diesen Grat ist er soeben geklettert, diesen Sérac oder dieses Kamin hat er begangen und durch die Einsamkeit der Berge weht das Menschliche. Also «Berge und Menschen», um den Titel Heinrich Federerers zu verwenden. Und doch nicht ganz. Die Romantik der früheren Alpinisten gehört nicht zu heutigen Bergsteigern, schon gar nicht das falsche Pathos in «Almenrausch und Edelweiß»-Büchern. Ihre Liebe zum Berg ist sachlich, sportlich. Den Obelisken, Titanen oder Giganten von Zermatt nennt Gaston Rébuffat den «merveilleux tas de pierres», einen herrlichen Steinhaufen. Herbert Maeder, Bergsteiger aus Berufung und Photograph von Beruf, vertauscht im rechten Augenblick den Bergpickel mit der Kamera, so wie er später zur Feder, zu einer sachlichen Feder greift. Sein Kapitel «Bergsteiger werden» ist ein Ausdruck dieses Stils, ein sachliches Hohelied auf den Alpinismus.
«Die Berge der Schweiz» nennt sich dieses Buch – wohl eine geographische, aber keineswegs eine nationale oder nationalistische Beschränkung. Herbert Maeder und die anderen Textautoren bleiben im heimischen Bergbezirk, weil sie ihren Eiger, ihren oder ihre Bernina, die ganze schweizerische Gipfelflur auf eigener Fahrt bis in die letzten Falten studiert haben. Ihre Kenntnis gilt den bestiegenen Gipfeln, ihre Zuneigung aber – so ist es zu spüren – jedem Berg im Alpenraum, in den österreichischen, julischen und bayrischen Alpen, in den Dolomiten, der Dauphiné und wo immer. Von den meisten Alpengipfeln blickt der Alpinist über die Ländergrenzen und somit über die Niederungen des Chauvinismus hinweg. Lassen wir bergsteigerische Bravourleistungen nicht zu nationalen werden!

Dieses Buch erscheint zu einer Zeit, da die Missionäre der Motorisierung unsere Alpen als das größte Hindernis Europas, als eine «lästige Barriere» bezeichnen, die es zu unterfahren gelte, in möglichst vielen Durchbohrungen oder am liebsten in einem Monster-Tunnel, der in Basel begänne und in Chiasso endete – also die Schweiz und die Alpen unterirdisch! Die Reaktion auf solch einseitige Huldigung an Motor, Technik und Geschwindigkeit ist nicht ausgeblieben: kaum zuvor in der Geschichte des Alpinismus hat sich der Kreis der Berggänger so rasch ausgeweitet wie in den letzten Jahren. Auch ältere Semester greifen zum Bergstock und versuchen, auf Berggängen das im Alltag gestörte Gleichgewicht zwischen ihrer körperlichen Unter- und ihrer seelischen Überforderung wieder herzustellen. Die Jugend drängt sich zu unseren Bergsteigerschulen. Das Am-Berg-sich-Messen liegt ganz auf der Linie unserer jungen Generation. Es kommt hier nicht auf viele technische Hilfsgeräte, sondern bloß auf ein Paar gute Nagelschuhe, weite Lungen, viel Selbstgefühl und vor allem auf die Leistung an. Steht dann der junge Bergsteiger auf dem Gipfel und blickt hinunter in die weite Ebene, wo die Automobile aus dem Alpentunnel rollen, darf ruhig auch ein wenig Stolz in seinem Blick liegen.
Gedanken solcher Art begleiten den Betrachter dieses Buches. Es will nicht überflogen, nicht durcheilt sein. Es verlangt den öfteren Halt, den vernünftigen Bergschritt. Dann wird uns das Erlebnis des Bergsteigens und der Berge als Impression geschenkt, für die wir Autor und Verlag zu danken haben. Denn so leicht sich beim Alpinisten auf eigener Fahrt, inmitten einer großartigen Einsamkeit, das Hochgefühl des Bergerlebnisses einstellt, so schwer läßt sich dieses weitergeben und ins Wort und ins Bild nehmen. Es geht um eine Aufgabe höchsten Schwierigkeitsgrades. Sie wurde hier gemeistert.

Georges Grosjean

Mensch und Berg in der Zeit

Aus der Geschichte der Erforschung und Erschließung der Schweizer Alpen

Die Kulturwelt des Mittelalters hat die Berge als schreckhaft empfunden und ihre Nähe gemieden. Abergläubische Vorstellungen von Geistern und Ungeheuern, aber auch tief religiöse und echt empfundene Ehrfurcht vor der Größe der Schöpfung hielten den Menschen vom Berge fern. Das war aber wohl nur die Haltung der gebildeten Welt des Unterlandes. Daß diese sich allein literarisch auszudrücken verstand, darf nicht zur Meinung verleiten, die damaligen Bewohner der Alpentäler wären mit dem Gebirge nicht vertraut gewesen. Sie bewegten sich mit einer Selbstverständlichkeit darin, die uns heute staunen macht, zum Teil alpintechnisch sogar schwer erklärbar ist. Denn Seil und Eispickel waren bis Ende des 18. Jahrhunderts unbekannt. Schneereifen, Schneebrettchen, Fußeisen und lange Stöcke sind dagegen im 16. Jahrhundert bereits bildlich und schriftlich belegt und gehen nach literarischen Andeutungen, die allerdings nicht ganz klar sind, weiter zurück. Der zeitgenössische Chronist Johannes von Winterthur sagt, daß die Schwyzer in der Schlacht am Morgarten Fußeisen trugen. Später hat man gesagt, daß der Chronist nur die stark genagelten Schuhe gemeint habe. Wahrscheinlich handelte es sich aber um jene Fußeisen mit vier Spitzen, die, unter die Mitte des Fußes gebunden, später noch von den Holzflößern und Waldarbeitern verwendet wurden und die die eigentlichen «Ahnherren» der spätern alpinen Steigeisen wurden.

Hohe, vergletscherte Pässe, wie der Col d'Hérens [3462 m] und der Col Collon [3117 m], wurden regelmäßig begangen, und ganze Viehherden wurden über die Pässe getrieben. Das mochte damit zusammenhängen, daß der Mensch des Mittelalters, vor allem der Gebirgsbewohner, noch viel mehr mit dem Tode vertraut war als der diesseitsbezogene aufgeklärte Mensch der Neuzeit, und außerdem mochte der Gewinn verlockend sein. In Les Haudères gibt es ein Feld, das noch heute Marché des Langobards heißt, wo die lombardischen Händler das schwarze Ehringer Vieh als Schlachtvieh aufkauften und über die Pässe trieben. 1364 erbittet die Kirchgemeinde St. Martin im Val d'Hérens vom Bischof von Sitten einen deutschsprechenden Priester, um den Leuten von Zermatt, die nach Valeria in Sitten pilgerten, die Beichte abzunehmen. Die Zermatter überschritten also offenbar regelmäßig in ganzen Pilgergruppen den Col d'Hérens, um über Bricola und durch das Val d'Hérens Sitten zu erreichen. 1517, 1525 und 1529 verfügt die Walliser Landsgemeinde, daß der Saumweg über den Col Collon zerstört werde, weil in der damaligen Kriegszeit die Bewachung allzuvieler Alpenpässe zu kostspielig war.

Der Alpinist und Historiker Heinrich Dübi, langjähriger Redaktor des Jahrbuchs des Schweizer Alpen-Clubs, hat die Überlieferungen von regelmäßig begangenen Gletscherpässen zwischen Berner Oberland und Wallis, wobei unter anderem die Wetterlücke in Frage kommt, in den Bereich der Legende verwiesen. Heute müssen wir das endgültige Urteil über diese Überlieferungen noch aufschieben, nachdem wir mehrere Zeugnisse ähnlichen Paßverkehrs kennen. Sicher dürften die sehr bedeutenden Veränderungen in der Ausdehnung der Gletscher für die Begehbarkeit oder Nichtbegehbarkeit der Gletscherpässe eine wichtige Rolle gespielt haben, die aber heute noch zu wenig geklärt ist. Einzelne Pässe dürften bei starkem Rückzug der Gletscher über die Seitenmoränen besser begehbar gewesen sein, andere bei Höchststand, wenn sie die schluchtartigen Felspartien auffüllten und eine wenig verschrundete Oberfläche zeigten.

Die Zeit, in der der Alpinismus in die Literatur der Schweiz Eingang fand, setzt nach 1500 ein. Es war in der Geistesgeschichte des Abendlandes die große Zeitenwende, die wir mit den Namen «Renaissance» und «Humanismus» bezeichnen. Bezieht sich «Renaissance» mehr auf die Kunst und den Stil der Politik, so bezeichnet «Humanismus» die dem Menschen zugewandte Geisteshaltung. Bisher hatte der Mensch die Welt als Ausdruck eines göttlichen Schöpferwillens aufgefaßt und ihre Erscheinungen aus überlieferten religiösen und weltanschaulichen Vorstellungen gedeutet. Erkenntnis und Verständnis für das Geschehen in der Welt und in der Natur suchte der Mensch in der Heiligen Schrift und in den wenigen aus der Antike übernommenen Büchern, vorab Aristoteles, nicht aber aus der Natur selbst.

Nun aber begann das empirische Zeitalter. Empirie heißt Erfahrung. Der Mensch will nun aufgrund von Beobachtung und Erfahrung ein neues Weltbild aufbauen. Hat der Mensch bisher *geglaubt*, will er nun *wissen*. Der Mensch will nicht mehr nur leidender Teil sein, gewissermaßen mitgeschwemmte Partikel auf dem Strom des Weltgeschehens, sondern er beginnt, seinen Standort zu bestimmen, er will das Steuer in die Hand nehmen, er beginnt zu handeln.

Nicht umsonst fallen in jene Zeit die ersten literarisch festgehaltenen Gipfelbesteigungen in den Schweizer Alpen. Als erster stieg im Jahre 1518 der Humanist und spätere Bürgermeister und Reformator von St. Gallen, Joachim Watt, mit seinem Humanistennamen *Vadianus* genannt, auf den Pilatus [2120 m]. Der Beweggrund war typisch für die Zeit: Vadian wollte durch Empirie den Aberglauben vom Geist des Pontius Pilatus im Pilatusbergsee widerlegen. Wenn die Gesellschaft dann aber gleich auch noch den Gipfel bestieg, mochte bereits etwas von jener nicht verstandesmäßig zu erklärenden, urtümlichen Lust des Menschen mitgespielt haben, Berge aus reiner Freude zu erklimmen und jenen Punkt zu erreichen, von dem es nicht mehr weiter geht. Der Erstbesteigung des Pilatus folgte 1536 die Erstbesteigung des Stockhorns durch eine fröhliche, ganz im Geiste des Altertums schwelgende Gesellschaft bernischer reformierter Theologen unter Leitung des ortskundigen Peter Kunz, der von 1517 bis 1535 Pfarrer in Erlenbach und Zweisimmen gewesen war. Der gelehrteste Teilnehmer war Rhellicanus, der aus Rellikon [Zürich] stammende Johannes Müller, Professor für griechische Sprache und Theologie in Bern, der von der Reise einen langen Bericht in lateinischen Hexametern, *die Stockhornias*, hinterließ – als amüsierliche Lektüre antiken Vorbildern nachgestaltet. Bei der Rast am Hinterstockensee denkt man sich die Landschaft mit Nymphen bevölkert. Aber auch die moderne Wissenschaft bricht an; es ist von den Gestirnen die Rede, von der

Tierwelt und der Jagd; erstmals werden Alpenblumen beschrieben, Milch und Käse gewürdigt und neben Wildbret und Wein auch genossen. Wir vernehmen auch, daß hier bergkundige Männer aus Erlenbach Gemsen jagen – offenbar ist diesen Menschen der Aufenthalt in den Gipfelregionen längst vertraut. 1555 bestieg, angeregt durch die Berner Theologen, der Zürcher Naturforscher *Konrad Geßner* zum zweiten Male den Pilatus, und 1557 folgte der Berner Pfarrer Bendicht Marti, genannt *Aretius*, der im selben Jahre Stockhorn und Niesen bestieg und ebenfalls eine Beschreibung hinterließ, die nun schon ganz von moderner Beobachtung zeugt. Schließlich faßte 1574 der Zürcher Humanist und vielseitige Gelehrte *Josias Simler* das gesamte damalige Wissen über die Alpen in einem lateinischen Werk *De Alpibus commentarius* zusammen.

Das 17. Jahrhundert war für die Alpenforschung unfruchtbar. Der Geist des Humanismus war nach frühem Erwachen wieder eingeschlafen. Statt der frischen, von lauterem Gottesglauben getragenen Weltbejahung der Reformatoren, wie Vadian und Zwingli, breiteten sich starrer Dogmatismus und düsterer Aberglaube aus, der in den Hexenprozessen seinen Ausdruck fand. Trotzdem zeitigte die Malerei einige Werke, die schon von einer ganz neuen, naturnahen Art der Alpenbetrachtung zeugen – freilich nur aus Distanz. Die prächtige Ansicht des Grindelwaldgletschers von Joseph Plepp [1595–1642] in Matthäus Merians *Topographie*, einige Veduten der Berner Albrecht Kauw [† 1681 oder 1682] und Johannes Dünz [1645–1736] sowie des Zürchers Felix Meyer [1653–1713] werfen einen Schein des großen Glanzes der Landschaftsmalerei des 17. Jahrhunderts auch auf die Schweizer Alpen.

Mit dem beginnenden 18. Jahrhundert ging das Licht der Naturforschung zum zweiten Male auf und führte ins Zeitalter der Aufklärung, das den Schweizer Alpen das große Dreigestirn *Johann Jakob Scheuchzer* in Zürich [1672–1733], *Albrecht von Haller* in Bern [1708–1777] und *Horace-Bénédict de Saussure* in Genf [1740–1799] brachte. *Scheuchzer*, Arzt und universaler Naturforscher, steht gerade auf der Schwelle zur Aufklärung. In den Kupferstichen seiner zahlreichen Werke begegnen uns noch Drachen und allerlei Ungeheuriges neben modern beobachteten Versteinerungen und einer ersten Darstellung der Gesteinsfalten am Urnersee. In der *Physica Sacra*, einer großartigen Bibelausgabe mit naturwissenschaftlichen Kupferstichen, wird der gigantische Versuch unternommen, die aufkeimende Naturwissenschaft mit dem biblischen Offenbarungsglauben in Einklang zu bringen. Noch war Scheuchzer nicht eigentlicher Alpinist. Auf seinen zahlreichen Alpenwanderungen, die er mit seinen Studenten zwischen 1702 und 1711 ausführte, hielt er sich an die gebahnten Wege.

Auch *Albrecht von Haller* stieg nicht in die Hochregion von Fels und Eis. Ihn führte botanisches Interesse in die Berge, und hier erwachte der Dichter, der in jungen Jahren 1729 mit dem Gedicht «Die Alpen» in der ganzen Welt Begeisterung entfachte. Der Durchbruch vom schreckhaften zum lieblichen Bilde der Alpen war vollzogen. Die alte Sehnsucht des Menschen nach dem Paradiese, wo der Mensch rein und in Harmonie mit der Natur lebt, wurde in die Alpen hineinprojiziert und strahlt von dort zurück bis zum heutigen Tag. Von hier war nur ein Schritt zu J.-J. Rousseaus Ruf «Zurück zur Natur», und vom gewaltigen Genie Hallers, der als Dichter, Arzt, Physiologe und Botaniker in seiner Zeit in gleicher Weise bahnbrechend war, empfing auch Goethe Impulse zum Besuche der Alpen.

Horace-Bénédict de Saussure war der erste, der in die eigentliche Hochregion des Eises vorstieß und dabei mit dem Mont Blanc [4807 m] im Jahre 1787 gleich den höchsten Gipfel der ganzen Alpenkette bestieg. Im Jahre zuvor hatten auf Veranlassung de Saussures zwei Männer aus Chamonix, der Arzt *Michel Gabriel Paccard* und der Kristallsucher *Jacques Balmat*, erstmals den Gipfel erreicht und den Weg für die große Expedition de Saussures erkundet. De Saussure war als Physiker und Geologe bereits stärker spezialisiert als Scheuchzer und Haller und wies nicht mehr dieselbe Universalität des Geistes auf – womit sich bereits die Entwicklung der modernen Wissenschaft abzeichnete. Das Ergebnis der reichen Forschertätigkeit de Saussures erschien vorwiegend in den vier Bänden *Voyages dans les Alpes* [Neuchâtel 1779–1796], nachdem schon der Berner *Gottlieb Sigmund Gruner* 1760 sein vielbeachtetes Werk *Die Eisgebirge des Schweizerlandes* veröffentlicht hatte. In denselben Zeitabschnitt – etwas jünger – fällt auch das Lebenswerk des Disentiser Benediktinerpaters *Placidus a Spescha* [1752–1833], der unermüdlich die Alpen Graubündens und der Zentral-

Aussicht der Eisgebirge und Gletscher im Grindelwald
Gezeichnet von F. Meyer, gestochen von A. Zingg. Aus: Gottlieb Sigmund Gruner, Die Eisgebirge des Schweizerlandes, Band I, SS. 76/77, Bern 1760 [Schweizerisches Alpines Museum Bern].

schweiz durchstreifte und eine Fülle von Beobachtungen und Sammlungsmaterial zusammentrug. Eine ganze Reihe von Hochgipfeln hat a Spescha erstmals erstiegen, so Rheinwaldhorn, Piz Aul, Piz Terri, Piz Scharboden, Güferhorn, Piz Giuf, Oberalpstock, Badus, Piz Urlaun und andere. Sein ersehntestes Ziel, der Tödi, blieb ihm versagt.

In jener Zeit nahm die Alpentopographie einen ersten großen Aufschwung. Dabei ging es den schweizerischen Topographen, Reliefbauern und Kartographen von allem Anfang an nicht nur darum, Hilfsmittel zu schaffen, um sich im Gewirr der Täler, Gipfel, Gräte und Gletscher zurechtzufinden, sondern auch darum, die ganze erhabene und machtvoll empfundene Schönheit der Alpenwelt einzufangen und nachzugestalten. So entwickelte sich früh die Kunst des Reliefs und später, als die Drucktechnik dies erlaubte, die Kunst der plastisch wirkenden, vielfarbigen Reliefkarte. Nach fast zwanzigjähriger Arbeit vollendete der luzernische Generalleutnant *Franz Ludwig Pfyffer* im Jahre 1775 das erste große Relief der Zentralschweiz, das heute das Prunkstück der Sammlung des Luzerner Gletschergartens darstellt. Es folgte der Aarauer Fabrikant *Johann Rudolf Meyer* [1739–1813], der kurz vor dem Untergang der Alten Eidgenossenschaft auf eigene Kosten ein für die damalige Zeit sehr genaues Relief der ganzen Schweiz im Maßstab 1:60000 herstellen ließ. Die etwas summarische, aber speditive und für den Zweck genügende Vermessungsarbeit leistete der Straßburger Ingenieur-Topograph *Johann Heinrich Weiß*, die Modellierarbeit dagegen der aus bescheidenen Verhältnissen stammende, aber hochbegabte *Joachim Eugen Müller* aus Engelberg. Napoleon I. erkannte sofort den strategischen Wert dieses Reliefs und kaufte es, so daß dieses Glanzstück schweizerischer Alpentopographie heute im Invalidenmuseum in Paris besichtigt werden muß. Nach dem Relief wurde in den Jahren 1796 bis 1802 ein erster Gesamtatlas der Schweiz in sechzehn Blättern 1:120000 sowie einer Übersichtskarte erstellt und in Kupfer gestochen. Hier ist zum erstenmal das ganze Alpengebiet in freien Schraffen in Vertikalperspektive dargestellt, während man vorher stets die Berge in Seitenansicht, in sogenannter Kavalierperspektive, abgebildet hatte.

Weiß und Müller hatten zur Erstellung ihres Reliefs zahlreiche Besteigungen leichterer Gipfel ausgeführt, an Ort und Stelle Messungen vorgenommen, graphisch trianguliert und in Gips modelliert. Die hohen, ausgedehnten Eisregionen der Berner und Walliser Alpen vermochten sie indessen nicht zu meistern. Dies gab nun unmittelbar den Anstoß zur nächsten großen und markanten Leistung in der Geschichte des schweizerischen Alpinismus, der *Erstbesteigung der Jungfrau* [4158 m] am 3. August 1811 durch die Söhne Johann Rudolf Meyers, *Johann Rudolf den Jüngern* und *Hieronymus Meyer*. Im Bestreben, die von ihrem Vater herausgegebene Karte zu verbessern, führten sie in den Jahren 1811 und 1812 ausgedehnte Hochgebirgsexpeditionen zwischen Lötschenlücke und Grimsel aus. Daß dabei auch schon im Jahre 1812 drei Führer der Brüder Meyer den Gipfel des Finsteraarhorns [4273 m] erreicht hätten, ist später mit guten Gründen angezweifelt worden. Diese Leistung gelang erst zwei Führern des Solothurner Gletscherforschers und Geologen *Franz Joseph Hugi*, der in den Jahren 1828 und 1829 kühne Bergfahrten im Gebiete des Rottals an der Jungfrau und des Finsteraarhorns unternahm. Während Hugi zufolge einer Fußverletzung unterhalb des Gipfels zurückbleiben mußte, erreichten seine Führer *Jakob Leuthold* und *Johann Währen* am 19. August 1828 den höchsten Punkt.

In den ersten Jahrzehnten des 19. Jahrhunderts erfuhr auch die idealistische Alpenbetrachtung, zurückgehend auf Haller, Rousseau und Goethe, eine Steigerung zu höchster Intensität. Sichtbare Träger dieser Bewegung waren vor allem die sogenannten *Schweizer Kleinmeister*, die so genannt wurden, weil ihre Landschaftsansichten fast durchaus in kleinen Formaten gehalten waren. Die Kleinmeister malten gelegentlich in Öl, mehr aber in duftigem Aquarell, und besonders entwickelten sie die Reproduktion ihrer Bildchen in Kupferstichen oder Radierungen, die nur Umrißlinien enthielten und dann serienmäßig von Hand koloriert wurden. Den Reigen eröffnete noch im 18. Jahrhundert der aus Winterthur stammende und in Bern wirkende *Johann Ludwig Aberli* [1723–1786], gefolgt von *Caspar Wolf* [1735 bis 1798], *P. Birmann* [1758–1844], *Franz Niklaus König* [1765–1831] und den beiden *Lory*, *Gabriel Ludwig* [Vater, 1763–1840] und *Mathias Gabriel* [Sohn, 1784–1846], um nur die wichtigsten zu nennen. Franz Niklaus König, der zeitweilig in Unterseen wohnte, war mit dem Berner Schultheißen Niklaus Friedrich von Mülinen der Hauptinitiant der großen *Alphirtenfeste von Unspunnen*, die 1805 und 1808 vor großer Zuschauerschaft aus dem In- und Auslande in Szene gingen. Nach der Zeit der Erniedrigung, nach dem Untergange der Alten Eidgenossenschaft, nach der Zeit der Fremdherrschaft schöpfte die Schweiz aus dem Alpenerlebnis neue Kraft und Zuversicht. Die alpinistischen Leistungen jener Zeit, wie die Jungfraubesteigung der Brüder Meyer, müssen in diesem Lichte neuen nationalen Bewußtseins gesehen werden.

In der Romantik steigerte sich das Naturgefühl. Der Komponist Felix Mendelssohn und der Dichter Lord Byron hielten sich in und um Interlaken sowie auf der Wengernalp auf und wurden hier zu bedeutenden Schöpfungen inspiriert. Die Malerei folgte. Der liebliche, aber kraftlose Kleinmeisterstil mußte überwunden werden. Düstere Talschlünde, wolkenumflorte Felswände, aus fernen blauen Höhen herniederglänzende Gipfel, sturmzerzauste Tannen, von Wehmut und Abendrot übergossene Landschaften waren Ausdruck eines neuen, mit Ungestüm durchbrechenden, den ganzen Menschen von innen heraus erfassenden Verhältnisses zum Berg. Noch malte *Maximilian de Meuron* [1785–1868] seine Hochgebirgslandschaften in verhältnismäßig kleinen Formaten; *Alexandre Calame* [1810–1864] ging unter dem Eindruck der Wucht des Hochgebirges auch zu gewaltigen Formaten über und wurde repräsentativ für seine Zeit.

Grundriß der Eisthäler und Gletscher im Grindelwald
Gezeichnet von A. Herbord, gestochen von A. Zingg.
Aus: Gottlieb Sigmund Gruner, Die Eisgebirge des Schweizerlandes, Band I, SS 90/91, Bern 1760 [Schweizerisches Alpines Museum Bern].

Vor solchem geistigem Hintergrund reifte die Zeit der großen Besteigungen heran. Einerseits war es die Wissenschaft, vor allem Geologie, Gletscherforschung und Botanik, von denen die Impulse ausgingen, anderseits das romantische Naturgefühl, der Drang des Menschen nach dem Unbekannten, nach dem Licht, nach der Höhe. Eigentümlichstes Wesen der menschlichen Seele kam zum Durchbruch. Jedes Tier hat seinen Ort, seinen Bereich, in dem es sich bewegt, gesteuert von den biologischen Bedürfnissen der Selbsterhaltung, und innerhalb dieses Bereichs ist das Tier zufrieden. Der Mensch ist nicht so. Er trägt im Innersten seiner Seele das Bild einer Landschaft, in der es kein Leid gibt, keine Krankheit, keinen Hunger, keinen Haß und keinen Tod. In ungestillter Sehnsucht schafft sich der Mensch von dieser Landschaft geistige Modelle und projiziert sie in eine irdische Landschaft hinein. Für die alten Griechen war es das Bergland Arkadien – für den Menschen des 19. Jahrhunderts die Hochalpenwelt: Ziel ungestillter Sehnsucht, Symbol des Ewigen.
Noch schämte man sich zwar, die irrationale Komponente des Bergsteigens einzugestehen. Jeder Bergfahrt mußte ein rationaler, wissenschaftlicher Zweck untergelegt werden. Welcher Art aber die Triebkräfte waren, erhellt ein Brief des Zoo-

logen und Geologen *Ludwig Rütimeyer* [1825–1895], der aus Palermo schrieb: «Ich gebe ganz Italien für einen wilden Lauf durch Wald und Feld, über Stock und Stein auf unsere Höhen des Emmentals oder auf den zackigen Graten des Oberlandes.»

So blieb den schweizerischen Wissenschaftern neben der geistigen Durchdringung auch das Staunen vor der Schöpfung erhalten. Am großartigsten vielleicht bei *Oswald Heer* [1809–1883], der noch einmal versuchte, die naturwissenschaftliche Empirie mit dem Glauben an göttliche Offenbarung in Einklang zu bringen. Zur Festrede anläßlich der Hundertjahrfeier der Naturforschenden Gesellschaft Zürich 1847 wählte er das Thema «Über die Harmonie der Schöpfung».
Zunächst erlangte vor allem der Kreis der Wissenschafter aus Neuenburg Berühmtheit, die sich um *Louis Agassiz* [1807–1873] und *Eduard Desor* [1811–1882] scharten und die in den Jahren 1840 bis 1845 von einem Standquartier unter einem Felsblock auf der Mittelmoräne des Unteraargletschers aus, genannt «Hôtel des Neuchâtelois», systematische Gletscherstudien betrieben. Sie zeitigten einen reichen Ertrag in Form prächtiger Tafelbände. Bei diesen Arbeiten wurden auch mehrere Gipfel erstmals erstiegen, so das große Lauteraarhorn und das Rosenhorn 1842 und 1844 durch Desor und die Haslejungfrau in der Wetterhorngruppe 1845 durch Agassiz. Agassiz widmete sich als vielseitiger Naturforscher später andern Aufgaben, machte sich vor allem einen Namen durch seine grundlegenden Werke über die Fische der Schweiz und verbrachte seine spätern Jahre als Geologe in den Vereinigten Staaten von Amerika.
Als Alpengeologen der ersten Pionierzeit traten vor allem in Erscheinung: der Zürcher Professor *Arnold Escher von der Linth* [1807–1872], Sohn des durch die Linthkorrektion berühmt gewordenen Hans Konrad Escher, der Berner Professor *Bernhard Studer* [1794–1887], der in Chur an der Kantonsschule wirkende *Gottlieb Ludwig Theobald* [1810–1869], der aus dem Emmental stammende und in Basel wirkende *Karl Ludwig Rütimeyer* [1825–1895], welcher vor allem auch als Zoologe Weltruf erlangte, und der Berner *Edmund von Fellenberg* [1838–1902], Bergingenieur und Privatgelehrter, größter Draufgänger unter den Schweizern der «großen Zeit». Der St. Galler *Friedrich von Tschudi* [1820–1886], von Beruf Kaufmann, wurde zum wichtigen Erforscher des Tierlebens der Alpen, und der Basler *Hermann Christ* [1833 bis 1933], von Beruf Jurist, wurde nach Albrecht von Haller der bedeutendste Botaniker und Pflanzengeograph der Schweizer Alpen. Den monumentalsten literarischen Niederschlag fand das große Jahrhundert der wissenschaftlichen Alpenentdeckung in *Oswald Heers* großangelegtem Werk «Die Urwelt der Schweiz» [1865], in welchem in herrlicher Sprache, für jedermann verständlich, ein umfassendes Bild vom Werden der schweizerischen und besonders der alpinen Landschaft in geologischer und botanischer Vergangenheit ausgebreitet wurde.
Auch die Alpentopographie leistete in jener Zeit Bedeutendes – war es doch die

Hinter der Rotwand steigt die Sonne auf. Der Himmel brennt über der schwarzen Schartenlinie der Vorarlberger Gipfel. Ergriffen folgt der Bergsteiger dem ältesten Schauspiel der Welt, das er in der kalten Biwaknacht herbeigesehnt hat.

Zeit, in der die Dufourkarte als berühmtestes aller schweizerischen Kartenwerke entstand. Der kraftvollste Alpinist unter den Topographen der Dufourzeit war der Bündner *Johann Wilhelm Fortunat Coaz* [1822–1918], der später bündnerischer und schließlich eidgenössischer Oberforstinspektor wurde. Er führte im Rahmen der topographischen Landesaufnahme eine größere Zahl von Erstbesteigungen aus, so 1845 Hoch-Ducan und Flüela-Weißhorn, 1846 Westspitze des Piz Kesch, 1848 Piz Quadervals, 1850 Piz Corvatsch, Piz Tschierva und den höchsten Gipfel Graubündens, Piz Bernina [4049 m]. Später machte sich Coaz einen Namen durch eine Reihe von Veröffentlichungen über die forstlichen Verhältnisse in den Alpen und über Lawinen und Lawinenverbauungen.

Neben die Topographen und Wissenschaftler stellten sich als dritte Gruppe die Leute, die man damals *Montanisten* nannte – jene unermüdlichen und oft auch kühnen Alpenwanderer, die zwar nicht als Wissenschaftler ausgebildet oder tätig waren, nichtsdestoweniger aber durch ihre oft geradezu unvorstellbar ausgedehnten und häufigen Alpenwanderungen und ihre Berichte darüber Wesentliches zur Kenntnis der Topographie der Alpen und zur Benennung der zahlreichen entlegeneren Gipfel und Pässe beitrugen. Zu ihnen gehört das große Dreigestirn *Melchior Ulrich* von Zürich [1802–1893], *Gottlieb Studer* von Bern [1804–1890] und *Johann Jakob Weilenmann* von St. Gallen [1819–1896]; ferner *Iwan von Tschudi*, der Bruder Friedrichs, von St. Gallen [1816–1887] und *Albert Hoffmann-Burckhardt* von Basel [1826–1896]. Melchior Ulrich war, wie übrigens auch Oswald Heer, von Beruf ursprünglich Theologe; Weilenmann, Tschudi und Hoffmann-Burckhardt waren finanziell gut gestellte Kaufleute, die sich mit voller Leidenschaft den Alpen widmen konnten, wobei vor allem Weilenmann ein kühner und ausdauernder Alleingänger war. Für eigentliche Hochtouren nahm freilich auch er Bergführer mit. Das seltsamste Phänomen war Gottlieb Studer, der Vetter Bernhard Studers, von Beruf Notar, später Regierungsstatthalter des Amtsbezirks Bern. Als Frucht seiner Bergfahrten, die ihn durch die ganzen Schweizer Alpen und einen guten Teil des Auslandes bis nach Norwegen führten, hinterließ er an die 2000 Zeichnungen und Panoramen, worunter gegen 700 oft mehrere Meter lange lavierte oder fein aquarellierte Panoramastreifen, die er in unglaublich kurzer Zeit jeweils an Ort und Stelle skizzierte und zu Hause sauber ausführte.

Mitte der 1850er Jahre schalteten sich die Engländer ein. Mit Ausnahme des Iren *John Tyndall* [1820–1893], Direktor der Royal Institution in London, der 1860 bis 1865, 1887 und 1889 im Gebiete von Zermatt, des Aletschgletschers und von Pontresina glaziologischen Forschungen oblag, stand bei allen Engländern, Schotten und Iren die sportliche Seite des Bergsteigens im Vordergrund. Die Erstbesteigung spielte für die Einschätzung der Leistung eine große Rolle. 1857 wurde in einer gewissen exklusiven Gesellschaft vorwiegend des Großbürgertums und der Intelligenz des Viktorianischen England der *Alpine Club* gegründet, der von seinen Mit-

gliedern nicht nur gehobene soziale Stellung, sondern auch jährliche alpinistische Leistungen verlangte. Unter den Mitgliedern finden sich vor allem Juristen, Geistliche der anglikanischen Kirche, höhere Beamte, Lehrer und Direktoren höherer Schulen, Bankiers und Großkaufleute, Großgutsbesitzer, wenige Ärzte, Naturwissenschaftler und Ingenieure. Viele Mitglieder übten überhaupt keinen Beruf aus. Die Suche des Abenteuers war für die Mitglieder des Alpine Club, die alle in guten finanziellen Verhältnissen standen, bereits Gegenströmung gegen die Technisierung der Arbeit und Umwelt in England, die damals intensiv eingesetzt hatte. Die bedeutendsten unter den Engländern jener Zeit, die in den Schweizer Alpen tätig waren, sind *John Ball* [1818–1889], der Begründer des Alpine Club und Verfasser eines Führers durch die Westalpen; *Reverend Charles Hudson* [1828–1865], der am Matterhorn abstürzte und als sicherster Berggänger und unbedingte Autorität im Alpine Club galt, «ein Muskelchrist, der Gott fürchtete und hundert Meilen in hundert Stunden gehen konnte» [Ch. Kingsley]; der bereits erwähnte *John Tyndall*, einer der bedeutendsten Gletscherforscher; *Sir Leslie Stephen* [1832–1904], abtrünniger Kleriker, der eine Verteidigungsschrift für den Unglauben schrieb, «statt lang zu beten, lang spazierengeht» [R. Mortimer] und vor allem die irrationale Komponente des Bergsteigens in den Vordergrund stellt bis zu einer eigentlichen Mystifizierung der Alpen; *A. W. Moore* [1811–1887], der auch zu den Erstbesteigern der höchsten Gipfel des Kaukasus zählt; *Thomas Stuart Kennedy* [1841–1894], in Feldkirch aufgewachsen und Besitzer großer Güter in Schottland, eine asketische, eher verschlossene Natur, der erste, der die Besteigbarkeit des Matterhorns von Zermatt aus erkannte; und – alle in seinem Ruhme als Erstbesteiger des Matterhorns nicht ganz zu Recht überragend – *Edward Whymper* [1840–1911], der als Holzgraveur für Buchillustrationen nicht richtig in den illustren Kreis paßte und vielleicht deshalb zu außerordentlichen Leistungen angespornt wurde.
Gleichzeitig mit dem Auftreten der Engländer bricht auch die große Zeit der Schweizer Bergführer an, unter denen *Christian Almer* [1826–1897], der ruhige, goldlautere Bergbauer von Grindelwald mit dem sicheren Tritt und der festen Hand, und *Melchior Anderegg* [1827–1914], der bärenstarke, ruhige, schweigsame und zugleich in hohem Maße kunstbegabte Bergbauer, Holzschnitzer und Jäger aus Zaun bei Meiringen, als größte und in späterer Zeit fast legendenumsponnene Gestalten hervorragen. Ihnen nicht viel nach stehen *Ulrich Lauener* [1821–1900] und sein Bruder *Christian* [1826–1891] von Lauterbrunnen, *Johann Baumann* [1830–1899] und *Peter Baumann* [1833–1921], *Peter Bohren* [1822–1882] und *Ulrich Kaufmann* [1840 bis 1917] aus Grindelwald, *Johann Joseph Bennen* [1824–1864] aus Laax im Goms, *Peter Knubel* [1833–1919] aus St. Niklaus im Wallis, *Hans Graß* [1828–1902] aus Pontresina und viele andere Namen, welche der «großen Zeit» ihren Glanz gaben. Einer etwas jüngern Generation gehören bereits *Alexander Burgener* [1846–1910] aus Eisten im Wallis und *Christian Klucker* [1853–1928] aus Fex an.

Die Engländer nennen die Zeit vom Einsetzen ihres Sturms auf die Alpen im Jahre 1854 bis zum Höhepunkt mit der Erstbesteigung des Matterhorns im Jahre 1865 *das Goldene Zeitalter des Alpinismus.* In diesem einen Jahrzehnt verzeichneten die Engländer mit ihren schweizerischen Bergführern in den Schweizer Alpen über 60 Erstbesteigungen. Darunter 1854 das Wetterhorn von Grindelwald aus durch Alfred Wills mit Ulrich Lauener, Peter Bohren und andern Führern, mit denen sich Christian Almer und Ulrich Kaufmann zusammenschlossen, welche auf eigene Faust aufgebrochen waren; 1855 Monte Rosa [Westgipfel] durch G. und S. Smith mit Ulrich Lauener; 1857 Mönch durch S. Porges mit Christian Almer, U. und Ch. Kaufmann, Klein Schreckhorn durch E. Anderson mit Christian Almer und Peter Bohren; 1858 Eiger durch Ch. Barrington mit Christian Almer und Peter Bohren, Dom durch J. L. Davies mit J. zum Taugwald; 1859 Aletschhorn durch F. F. Tuckett mit J. J. Bennen und P. Bohren, Bietschhorn durch Leslie Stephen mit zwei Führern, Rimpfischhorn durch Leslie Stephen mit zwei Führern; 1860 Blümlisalphorn durch Leslie Stephen mit Melchior Anderegg und P. Simond, Grand Combin durch Deville mit E. und G. Bailley und Alphubel durch Leslie Stephen mit Melchior Anderegg; 1861 Groß Schreckhorn durch Leslie Stephen mit Christian und Peter Michel und Ulrich Kaufmann, Monte Rosa [Nordend] durch T. F. und E. N. Buxton mit M. Payot, Lyskamm durch J. F. Hardy mit acht Engländern und acht Führern, Weißhorn durch John Tyndall mit J. J. Bennen; 1862 Groß Fiescherhorn durch A. W. Moore und H. B. George mit Christian Almer und Ulrich Kaufmann, Täschhorn durch J. L. Davies mit J. und St. Taugwalder und J. Summermatter, Dent Blanche durch T. S. Kennedy mit J. B. Croz und J. Kronig und Disgrazia durch Leslie Stephen und T. S. Kennedy mit Melchior Anderegg; 1863 Dent d'Hérens und Monte Rosa [Parrotspitze] durch R. S. Macdonald und F. C. Grove mit Melchior Anderegg und P. Perren, Piz Palü durch E. N. Buxton mit vier Begleitern und drei Führern, Piz Roseg [Nordgipfel] durch E. S. Bircham mit A. Flury und F. Jenny; 1864 Balmhorn durch F. und H. Walker mit M. und J. Anderegg, Jungfrau vom Rottal durch Leslie Stephen, R. S. Macdonald und F. C. Grove mit M. und J. Anderegg und J. Bischoff, Zinal-Rothorn durch Leslie Stephen und F. C. Grove mit M. und J. Anderegg; 1865 Jungfrau von der Wengernalp durch H. B. George und G. Young mit Chr. Almer und J. Baumann, Obergabelhorn durch A. W. Moore und H. Walker mit J. Anderegg, Grand Cornier durch Edward Whymper mit Christian Almer und F. Biener, Piz Roseg [Hauptgipfel] durch A. W. Moore und H. Walker mit J. Anderegg, und – als sensationellste Leistung – das Matterhorn durch Rev. Charles Hudson, Edward Whymper, Lord Francis Douglas und Robert Douglas Hadow mit den Führern Michel Croz aus Chamonix und Peter Taugwalder Vater und Sohn aus Zermatt. Das Hauptverdienst kam dabei dem erfahrenen Hudson sowie dem älteren Taugwalder zu, die die Begehbarkeit des Hörnligrates klar erkannten. Whymper, der seit Jahren mit Starrsinn die Erst-

Franz Joseph Hugi und seine Gefährten im Rottal an der Jungfrau 1828
Ohne Autorangabe. Aus: Franz Joseph Hugi, Naturhistorische Alpenreise, Solothurn 1830 [Schweizerisches Alpines Museum Bern].

besteigung von Breuil betrieben und sich dabei mit den dortigen Pionieren Jean-Antoine Carrel, César Carrel, Abbé Amé Gorret, Jean-Baptiste Bich und andern überworfen hatte, schloß sich im letzten Augenblick Hudson an und wurde alleiniger Teilhaber des Ruhms, während Hudson, Douglas, Hadow und Michel Croz Opfer der furchtbaren Katastrophe wurden und Peter Taugwalders Ruf durch allerlei Verdächtigungen vernichtet wurde.

Demgegenüber war die Ausbeute der Schweizer «Herren» an spektakulären Erstbesteigungen verhältnismäßig gering, suchten doch die Schweizer in erster Linie wissenschaftliche Ergebnisse – und nicht Erstbesteigungen um ihrer selbst willen. Immerhin trat der unternehmungslustige und kampffreudige *Edmund von Fellenberg* bewußt mit den Engländern in einen im übrigen freundschaftlichen Wettstreit und buchte für sich 1856 den Wildstrubel, 1862 das Kleine und Große Doldenhorn und die Weiße Frau, 1863 das Silberhorn, 1864 das Kleine Fiescherhorn, 1865 Lauterbrunner Breithorn und Groß Grünhorn von Südwesten, 1866 Mönch über Nordwest-Bollwerk, 1867 Bietschhorn über Westgrat und einige weitere beachtliche Leistungen. Am Lauterbrunner Breithorn kam es am 31. Juli 1865 zu einem eigentlichen Wettlauf und Wettklettern zwischen Edmund von Fellenberg, der mit den Führern Peter Michel, Peter Inäbnit und Peter Egger von Grindelwald und Johann Bischoff von Lauterbrunnen um sechs Uhr vom Wirtshaus Trachsellauenen aufgebrochen war – und den Engländern Phillpott und Hornby, die mit Christian Almer und Christian Lauener um zwei Uhr die Steinbergalp verlassen hatten, um über den Petersgrat das Breithorn anzugehen. Fellenberg blieb Sieger und pflanzte 10 Uhr 40 Minuten die eidgenössische Fahne auf den Gipfel. 15 Minuten später steckte Christian Almer das mitgebrachte «Tanngrotzli» daneben in den Schnee.

Unter den übrigen Schweizern stach besonders *J. J. Weilenmann* hervor, der in zwanzig Jahren 350 Gipfel bestieg, darunter als wichtigste Erstbesteigungen 1859 den Monte Leone im Alleingang, 1861 das Fluchthorn mit F. Pöll, 1865 den Mont Blanc de Cheilon mit J. Felley und den Piz Buin mit J. A. Specht und zwei Führern. *Melchior Ulrich* stand als erster 1848 auf dem seither nach ihm benannten Ulrichshorn im Mischabel, 1850 auf dem Westgipfel des Monte Leone und auf dem Hauptgipfel der Diablerets, 1853 mit Gottlieb Studer auf dem Glarner Tödi. *Gottlieb Studers* Liste der Erstbesteigungen enthält 22 Namen, obschon Studer nicht eigentlicher Hochalpinist war. Unter den Erstbesteigungen Studers figurieren 1841 das Sustenhorn, 1843 das Wildhorn, 1864 das Große Wannehorn und das Studerhorn [beide mit Rudolf Lindt], ferner das Ofenhorn, das Große Rinderhorn und der Basodino. In der Zentralschweiz wurden Düssistock und Vorab 1842 durch *Arnold Escher* und die Große Windgälle 1848 durch *Georg Hoffmann* erstmals bestiegen. Der Titlis war schon 1744 durch Mönche des Klosters Engelberg und 1787 durch J. R. Meyer und J. E. Müller bestiegen worden.

In solcher Zeit schlossen sich die Schweizer Bergsteiger zum *Schweizer Alpen-Club*

zusammen, um im Wettstreit mit den Engländern das Ihre zur Erschließung und Erforschung der Schweizer Alpen besser beitragen zu können. In den Mittagsstunden des 30. Juli 1861 wurde auf dem Gipfel des Piz Rusein im Tödigebiet der Gedanke durch den Berner Geologen und Chemiker *Dr. Rudolf Theodor Simler* [1833 bis 1873] geäußert und darauf in die Tat umgesetzt. Am 19. April 1863 fand im Bahnhofrestaurant zu Olten die Gründungsversammlung statt, am 5. September 1863 wurden die ersten Statuten angenommen. Der junge Club, dem die ganze Prominenz der damaligen Schweizer Bergsteiger angehörte, setzte sich vor allem die wissenschaftliche Erforschung der Alpen, die Veröffentlichung von Berichten und die Erschließung der Alpen durch den Bau von einfachen Unterkünften zur Aufgabe. Im Gründungsjahr entstanden acht Sektionen mit 257 Mitgliedern; nach 100 Jahren, 1963, waren es 92 Sektionen mit 44649 Mitgliedern. Im Gründungsjahr entstand am Tödi die erste primitive Clubhütte, 1913 waren es deren 75, 1963 148, inbegriffen acht Hütten der selbständigen Akademischen Alpenclubs.
Mit dem Matterhorn-Unglück von 1865 war der große Schwung der Engländer etwas gebrochen, aber nicht gelähmt. Die reiche Gipfelernte ging zur Neige. Die Erstbesteigungen wurden seltener und betrafen nur noch weniger bekannte Gipfel oder besonders schwierige Routen. Bereits verlegten die Engländer das Schwergewicht ihrer Tätigkeit in andere Gebiete, vor allem ins Dauphiné, bald auch in den Kaukasus, den Himalaja und die Anden. Noch brachten die 1870er Jahre eine Nachblüte, welche die Engländer das *Silberne Zeitalter des Alpinismus* nennen. Es endet 1882 mit der Erstbesteigung der Aiguille du Géant im Mont-Blanc-Gebiet durch die Brüder Sella aus Biella in Italien und dem Briten W. Graham mit Jean-Joseph Maquignaz aus Breuil als Führer. Im Mittelpunkt des silbernen Zeitalters steht unter den Engländern *A. F. Mummery* [geb. 1856], der seit 1895 am Nanga Parbat im Himalaja verschollen ist. Er hat entscheidenden Anteil an der Entwicklung der Technik des Felskletterns und leitet damit über zu einem neuen Stil des Bergsteigens, der naturgemäß sein Betätigungsfeld nun vorwiegend außerhalb der Schweiz suchte, in den Nadeln des Mont-Blanc-Gebietes und in den Ostalpen. Mummery, eigensinniger, leidenschaftlicher Draufgänger, machte viele seiner Besteigungen und Durchstiege ohne Führer, öfters sogar im Alleingang, und leitete damit auch zum führerlosen Bergsteigen über, dessen hauptsächlichste Pioniere unter den Ausländern die Österreicher Graf *Emil Zsigmondy* [1861–1885] und *Ludwig Purtscheller* [1849–1900], der Engländer *Charles Pilkington* [1850–1919] und die Franzosen *Victor* und *Pierre Puiseux* [1820–1883; 1855–1928] gelegentlich auch die Schweiz streiften. Purtscheller machte als erster die Traversierung des Monte Rosa von Macugnaga nach Zermatt und das Bietschhorn von Süden, Pilkington 1881 die erste führerlose Besteigung des Finsteraarhorns.
In diese Zeit ragt auch noch der Amerikaner *William Augustus Brevoort Coolidge* [1850 bis 1926], der mit vierzehn Jahren nach England kam, anglikanischer Kleriker

wurde, aber bald nicht mehr praktizierte und sich ab 1896 dauernd in Grindelwald niederließ, um sich ganz den Alpen zu widmen. Er übte noch den ältern Stil, beging vorwiegend Schnee und Eis und nur in Begleitung von einheimischen Führern, unter denen er sich von 1868 an Christian Almer während siebzehn Jahren zu verpflichten wußte. Meist in Begleitung seiner unternehmungslustigen Tante, *Miß Meta Brevoort*, die eine hervorragende Stellung in der Geschichte des Frauenalpinismus einnimmt, und der Lötschentaler Sennenhündin Tschingel, wurde ein geradezu sensationelles Bergsteigerprogramm erfüllt. Es umfaßte schließlich rund 1700 Gipfel und Übergänge, worunter 74 Erstbesteigungen und Erstbegehungen, allerdings vorwiegend im Dauphiné, wo Coolidge noch unberührtes alpinistisches Neuland erschloß. Tschingel errang mit 30 Gipfeln und 36 Übergängen, begonnen mit der Blümlisalp und gekrönt mit dem Mont Blanc, den Rekord des Hundealpinismus. Coolidge entfaltete ein reiches Schaffen als Literat, vorwiegend in Artikeln für Enzyklopädien und Zeitschriften, in Alpinführern und einigen großen Werken alpinhistorischen Inhalts – alle freilich trocken, tatsachenmäßig, ohne Mitschwingen der Seele, aber für die Wissenschaft wertvoll. Mit den Winterbesteigungen des Wetterhorns, der Jungfrau und des Schreckhorns wurde Coolidge auch Wegbereiter des Winteralpinismus.
Unter den Schweizern zeichnete sich in jener Zeit eine Strömung ab, die man mit einem Worte von *Carl Egger* als die «Vergeistigung des Bergsteigens» bezeichnen kann. Neben die Naturforscher, unter denen damals der Geologe *Albert Heim* [1849 bis 1937] und der Botaniker *Carl Schröter* [1855–1939], beide Professoren an der Eidgenössischen Technischen Hochschule in Zürich, in der Alpenforschung den ersten Rang einnahmen, stellten sich die Geisteswissenschaftler, Historiker, Literaten, Philosophen, die in den Bann der Alpen gezogen wurden – und schließlich jene, die allein um des Erlebnisses willen das Hochgebirge aufsuchten. Diese Linie beginnt mit *Eugène Rambert* [1830–1886], Professor für französische Literatur an der Universität Lausanne und an der Eidgenössischen Technischen Hochschule, begeisterter Berggänger und führender Kopf im Schweizer Alpen-Club. Es stellte sich jetzt die Frage nach dem tiefern Sinn des Bergsteigens, und Eugène Rambert gab die Antwort: «der Alpinist ist im Grunde genommen ein Mensch, der das Abenteuer liebt und für den die moderne Gesellschaft und ihre Lebensweise einem Gefängnis gleichen.» Das dürfte auch heute noch seine Geltung haben, und deshalb wird der Alpinist dafür kämpfen, daß dieses Gefängnis mit der ganzen Betriebsamkeit und Unrast der technisierten Welt nicht auch noch in die letzten Zufluchtsstätten der Alpen vordringt.
In den Fußstapfen Eugène Ramberts auf dem Wege zu einem vergeistigten Alpinismus schritten als bedeutendste Vertreter *Emile Javelle* [1847–1883], der begeisternde Leiter eines Knabeninstituts in Vevey, der mit seinen 15jährigen Schülern den Mont Blanc von Courmayeur nach Chamonix überschritt, dann der Berner Gym-

Überwindung des Bergschrundes an der Jungfrau mittels einer Sprossenstange durch Gottlieb Studer und seine Gefährten am 14. August 1842
Ohne Autorangabe, wahrscheinlich von Studer selbst gezeichnet. Titelblatt zum 1. Bändchen Topographische Mitteilungen aus dem Alpengebirge, verfaßt von Gottlieb Studer, Bern und St. Gallen 1843 [Schweizerisches Alpines Museum Bern].

nasiallehrer und Historiker *Heinrich Dübi* [1848–1942], langjähriger Redaktor des Jahrbuchs des Schweizer Alpen-Clubs und neben Coolidge bedeutendster Historiker des schweizerischen Alpinismus, dessen bekannteste alpine Leistungen die erste Überschreitung der Jungfrau vom Rottal nach der Wengernalp [1873] und die Erstbesteigung des Großen Fiescherhorns über den Nordwestgrat sind; ferner *Andreas Fischer* [1865–1912], Bergführer aus einer Bergführerfamilie aus Zaun bei Meiringen, Primarlehrer in Thun, Sekundarlehrer in Grindelwald, Doktor der deutschen Literatur, Gymnasiallehrer in Bern und später in Basel, gebaut wie aus Stahl, in Leidenschaft und tiefem Ethos den Bergen verfallen und doch die Vorsicht selbst, bis er nach weitem Streifen und glänzenden Leistungen in den Alpen, im Dauphiné, in den Dolomiten, im Kaukasus, mit 47 Jahren am Aletschhorn in einer fürchterlichen Sturmnacht erlag. Seine nach dem Tode herausgegebenen «Hochgebirgswanderungen in den Alpen und im Kaukasus» sind ein unvergängliches Denkmal der alpinen Literatur.
In dieser Zeit entwickelte sich auch auf schweizerischem Boden, unabhängig von Pilkington, Gardiner, Zsigmondy, Purtscheller und Puiseux, das führerlose Bergsteigen, unter Menschen, die in den Alpen nicht wissenschaftliche Forschung treiben, auch nicht sportliche Erfolge erringen wollten, sondern die auf den Höhen Läuterung und den Weg zu sich selbst suchten und die daher allein oder im Kreise vertrauter Freunde gehen wollten. Zu ihnen gehören vor allem die Brüder *Paul* und *Charles Montandon* [1858–1948; 1862–1923], unter denen vor allem Paul durch sein hohes Ethos, durch seine mit Kühnheit gepaarte Sorgfalt und nicht zuletzt durch seine minuziöse Auswertung aller Erfahrungen in über hundert Aufsätzen und Publikationen zum eigentlichen Erzieher einer ganzen schweizerischen Bergsteigergeneration wurde. Aus bescheidenen Verhältnissen stammend, wurde Charles Notar in Bern, Paul durch Heirat Ziegeleibesitzer im Glockental bei Thun. Pauls siebzehn dicke Bände von Fahrtenbüchern verzeichnen 40 Gipfelbesteigungen über 4000 m und über 600 niedrigere, und 50 Erstbesteigungen und neue Wege über 3000 m. Die Liste seiner Gemahlin, geborenen Sarah Koenig, die seine vertrauteste Berggefährtin war, verzeichnet 18 Viertausender und 148 weitere bedeutende Gipfel. Charles' Liste umfaßt 23 Erstbesteigungen und 6 neue Übergänge – ohne daß weder Paul noch Charles damit Aufhebens machten. Zu den lichtvollsten Erinnerungen Pauls gehört die erste führerlose Besteigung des Eigers am 18. August 1878 mit drei Gefährten, von denen der älteste 23, der jüngste 16 Jahre zählte. Eine Stelle aus den Fahrtenbüchern mag die Gefühle jener jungen Bergsteigergeneration zum Ausdruck bringen: «Höher strebten wir, umflossen von der wundervollen Schönheit der Vollmondnacht. Wie sich unsere jungen Herzen weiteten! Unhörbar schwebten jenseits des Tales die silbernen Wellen des Staubbaches zur Tiefe. In der Ferne schimmerten die ewigen Gletscher. Wie das tiefe Schweigen der Natur uns kleine Geschöpfe geheimnisvoll umfaßt, uns mit dem All verbindet!»

Bald aber nahte die Zeit, in der das tiefe Schweigen der Natur dem Menschen nicht mehr kostbar war. Im fast naiven Optimismus der Fremdenverkehrszeit glaubte man, so vielen Menschen wie möglich das Bergerlebnis vermitteln zu müssen, und man begann, Bahnen auf die Gipfel zu bauen. 1871 und 1874 wurden bereits die beiden Rigibahnen von Vitznau und Arth eröffnet, gefolgt von den Bahnen auf den Pilatus [1888], das Brienzer Rothorn und den Rochers de Naye [1892], den Gornergrat [1898], um nur die wichtigsten zu nennen, und 1912 erreichte das Bahngeleise das Jungfraujoch. Schon sprach man von einer Schlittenseilbahn über den Aletschgletscher und von einem Lift aufs Matterhorn. Die Schweizer Alpen hatten aufgehört, Pionierland zu sein. Alle Gipfel waren erschlossen, mit Namen und Höhenkoten versehen; das zweite große Kartenwerk der Schweiz, der Siegfriedatlas, war kurz nach der Jahrhundertwende vollendet worden und ließ kein unbekanntes Gebiet mehr. Der Schweizer Alpen-Club, der seit 1863 jedes Jahr ein Gebiet als Clubgebiet systematisch durchforscht hatte, schloß diese Tätigkeit 1900/1901 ab und bestimmte keine Clubgebiete mehr. Auch die Herausgabe spezieller SAC-Karten kam allmählich in Abgang. In Geologie und Botanik erschienen die ersten zusammenfassenden Gesamtwerke. Fortan verlegte sich die Wissenschaft aufs anspruchsvolle Detail und zog sich von der Natur mehr und mehr ins Atelier und Labor zurück. In der Kartographie ersetzte die Photogrammetrie auf der Grundlage von Fliegeraufnahmen zu einem guten Teil die Arbeit im Gelände.
Neue Aufgaben stellten sich. Der Wintertourismus setzte ein mit Schneereifen und bald mit Ski – nicht mehr im Sinne der pioniermäßigen Alpenerforschung, auch nicht im Dienste der Wissenschaft, sondern allein um der Erholung und des sportlichen Vergnügens willen. 1896 erreichten *Professor Wilhelm Paulcke und Victor de Beauclair* mit dem Oberalpstock zum ersten Male mit Ski einen Dreitausender. 1897 traversierte diese Gruppe mit weitern Deutschen vom 18. bis 23. Januar mit Ski von der Grimsel über Oberaarjoch–Grünhornlücke–Aletschgletscher–Belalp nach Brig. Der Einbruch des Massentourismus sommers und winters erforderte ab 1902 den Aufbau einer imposanten Rettungsorganisation durch den SAC, die heute rund 130 Rettungsstationen mit über 1800 Mann ausgebildetem und in Bereitschaft gehaltenem Personal und über 100 Lawinenhunden umfaßt.
Noch waren einige bedeutende alpinistische Leistungen möglich. Unter diesen leuchtet vor allem die erste Begehung der Eigernordwand durch den in Zürich wirkenden Berner Mediziner *Dr. Hans Lauper* mit *Alfred Zürcher* aus St. Gallen und den Führern *Joseph Knubel* und *Alexander Graven* am 20. August 1932 hervor. Die Route wurde über den stark mit Schnee bedeckten Ostteil der Wand gewählt und in einem Tage ohne künstliche Hilfsmittel bewältigt. Der Aufstieg durch den felsigen Westteil der Wand, der schließlich vom 21. bis 24. Juli 1938 durch die Münchner *Anderl Heckmair* und *Ludwig Voerg* und die Wiener *Heinrich Harrer* und *Fritz Kasparek* unter großen objektiven Gefahren und unter Zuhilfenahme künstlicher Hilfsmittel be-

werkstelligt wurde, war bereits überschattet vom Prestigestreben des nationalsozialistischen Deutschland und von der Geschäftstüchtigkeit und Sensationslüsternheit moderner Massenkommunikationsmittel. Seither ist die Eigernordwand immer wieder im Blickpunkt solch unerfreulichen Geschehens gestanden und hat bis 1962 bei 31 gelungenen Durchstiegen 23 Todesopfer gefordert. Nach dem Zweiten Weltkrieg erfolgte schließlich der zweite große Einbruch des Massentourismus mit einer neuen Welle des Bergbahn- und Seilbahnbaus, mit der Anlage zahlreicher Bergsträßchen und mit dem Aufkommen des Gletscherfliegens zu Touristikzwecken.
Das Alpenerlebnis ist als Folge der rationalen Erforschung und der technischen Erschließung der Alpen weitgehend zusammengebrochen. Es hat sich in der Welt des Bergsteigens das vollzogen, was jedes Kind erfährt, wenn es sein Spielzeug zerstört, um zu sehen, was darin ist. Das Kind ist um ein bißchen Wissen reicher, aber um ein schönes Spielzeug ärmer geworden. So stehen wir heute etwas enttäuscht vor einer entzauberten, ins helle Licht gezerrten Alpenwelt, die ohne Mühe, ohne innere und äußere Vorbereitung jederzeit erreichbar ist. Wer heute noch etwas von dem erleben will, was die ersten Pioniere der Alpen erlebten, muß in die abgelegenen Hochgebirge ferner Kontinente ziehen oder sich in den Alpen den letzten Rest Romantik und Abenteuer in senkrechten Felswänden zusammensuchen. Die Entwicklung zum sogenannten extremen Bergsteigen ist eine natürliche und unvermeidliche Folge der vollständigen Erschließung der Alpen und ihrer allzuleichten Zugänglichkeit durch Straßen, Bahnen und Flugzeuge.
Das richtige Verhältnis zum Berge werden wir erst wieder finden, wenn wir erkennen, daß das Bergerlebnis nicht allein objektiv, sondern zu einem wesentlichen Teile subjektiv bedingt ist. Es entsteht aus der Begegnung des Menschen mit dem Berg und ist in seiner Intensität zum kleinern Teil abhängig von der objektiven Schönheit der geschauten Landschaft, sondern in höherem Maße von der innern Bereitschaft des Schauenden. Solche Bereitschaft aber braucht Zeit. Das Glücksgefühl einer Bergfahrt wächst aus der innern Spannung, die dadurch entsteht, daß wir uns in unserer Seele ein Bild der künftigen Situation auf dem Gipfel aufbauen, und dieses Bild drängt dann nach Verwirklichung. Je länger die Zeit der Vorbereitung, der Planung, des Bereitlegens der Ausrüstung, des Anmarsches, desto größer die Spannung, desto größer das Schwingen der Seele, das zum großen Erlebnis nötig ist. Wer aus Zeitgründen sich das alles sparen will, auf den Anmarsch, auf die Nacht in der Hütte oder im Biwak verzichtet, aber glaubt, Bergerlebnisse mit Seilbahn und Flugzeug zu jeder Zeit kaufen zu können, der wird nie des großen Bergerlebnisses teilhaftig werden können. Er hat vielleicht einen schönen Eindruck in sich aufgenommen, das Licht auf sich wirken lassen, dann in sausender Abfahrt auf den Ski sein Bedürfnis nach Bewegung abreagiert, was für den Menschen, der den größten Teil seines Werktags sitzend oder an Ort stehend zubringt, ein durchaus legitimes Bedürfnis ist. Mit dem Erlebnis des Bergsteigens aber hat das wenig zu tun. Die

neuen Formen, in die Berge zu gehen, sind etwas wesenhaft anderes, nicht eine neue Form, nicht eine Fortsetzung des Bergsteigens.
Immer noch aber gibt es auch in den Alpen Bergsteiger – und wird sie immer geben –, die im Berge das Ziel unerfüllter Sehnsucht und damit das Symbol des Ewigen sehen. Sie verbindet innige Freundschaft und Liebe mit dem Berge, und sie ergründen etwas vom letzten Geheimnis, das nicht so sehr im Erreichen als im Entsagen liegt. Es gehört zu den seltsamsten Tatsachen unseres irdischen Daseins, daß in der Tiefe unserer Seele höchste Lust und tiefstes Leid aus denselben Quellen strömen. Bergsteiger, die dies erfahren haben, werden vom Berge unwiderstehlich in den Bann gezogen und in unerbittlicher Weise auch in den Grenzbereich zwischen Leben und Tod geführt. Der Außenstehende, der allein dem Rationalen verhaftet ist, wird das nie fassen. Er wird nicht verstehen, daß es beim Bergsteigen um ganz andere, hintergründigere und abgründigere Dinge geht, als einfach auf einem Gipfel gestanden und die Aussicht bewundert zu haben.

Wallis, südlich der Rhone

Die Dents du Midi bilden den westlichsten großen Gebirgsstock der Schweiz. Ausgangspunkt für die vorwiegend schwierigen Aufstiege der St-Maurice-Seite der Cime de l'Est ist der Refuge Chalin. Die kleine, aber vorbildlich ausgestattete Hütte steht auf der Tête de Chalin, 2590 Meter hoch. Sie bietet acht Bergsteigern Unterkunft und gehört der Sektion Chaussy des SAC. Die Tête de Chalin ist ein guter Aussichtspunkt. Der Blick geht rhoneabwärts über den Genfersee und die Waadtländer Alpen, rhoneaufwärts begegnet er der schartigen Horizontlinie der Walliser Viertausender.

Die Cime de l'Est der Dents du Midi [3177 m], zwei Stunden nach Sonnenuntergang, vom Hüttenweg zum Refuge Chalin gesehen.
Die Dents du Midi mit ihren wichtigsten Kulminationspunkten: Haute Cime [3257 m], Les Doigts [3210 m], Dent Jaune [3186 m], L'Eperon [3114 m], La Cathédrale [3160 m], La Forteresse [3164 m] und Cime de l'Est, sind ein vielgestaltiges Kalkmassiv mit leichteren Aufstiegen von Westen und Süden und einigen sehr schwierigen Kletterwegen, vor allem auf der Nord- und Ostseite. Ein alpinistisch hervorragender Aufstieg führt über den 700 Meter hohen Mittelpfeiler der St-Maurice-Seite der Cime de l'Est. Diese lange Kletterei vom fünften Schwierigkeitsgrad wurde am 17. Oktober 1943 erstmals von A. Roch, P. Bonnant und R. Aubert durchgeführt. Berühmt ist der Anblick des vergletscherten Gebirgsstocks vom Genfersee her. Schloß Chillon mit Dents du Midi!

Rechte Seite:
Bild oben: Das Teleobjektiv erfaßt in der Morgenfrühe als eindrückliche Kulisse eine Reihe bekannter Waadtländer Gipfel. Die Dent de Morcles [2969 m], rechts außen, ist ein beliebtes Wochenend-Kletterziel. Links außen der Südgrat des Grand Muveran [3051 m], der durch einen langen Kamm mit der Dent de Morcles verbunden ist. In der Mitte das Massiv des Haut de Cry [2969 m]. Ganz hinten das Wildhorn [3247 m].
Bild unten: Die zackige Horizontlinie der Walliser Viertausender hebt sich gegen den Morgenhimmel ab. Von links nach rechts fallen als markante Gipfel auf: Weißhorn, Zinal-Rothorn, Obergabelhorn, Dent Blanche, Matterhorn, Dent d'Hérens, Mont Blanc de Cheilon.
In der Ost–West-Richtung dieser gewaltigsten Gipfelreihe der Schweizer Alpen verläuft die unter dem Namen Haute Route berühmt gewordene und vor allem im Frühjahr mit Ski praktizierte Gebirgsdurchquerung von Saas Fee nach Chamonix oder umgekehrt.

Bild links oben: Der Col d'Argentière [3544 m] mit den Aiguilles Rouges und dem Mont Dolent [3820 m], links außen. Der Mont Dolent ist ein formschöner Berg und einer der rassigsten Skihochgipfel. Auf seiner Kuppe treffen sich die Grenzlinien Italiens, Frankreichs und der Schweiz. Der Col d'Argentière kann von der Argentière-Hütte aus über den Tour-Noir-Gletscher mit Ski erreicht werden, doch ist eine Abfahrt ins Wallis nicht möglich. Häufig wird mit dieser schönen Skitour die Besteigung des Tour Noir [3835 m] verbunden.
Bild links unten: Als klassischer Haute-Route-Übergang vom dramatischen Argentière-Kessel zur weiten Trient-Hochfläche gilt der Weg über den Col du Chardonnet und die Fenêtre de Saleina. Im Süden begrenzen die Aiguilles Dorées das Trient-Plateau, beliebte Kletterberge aus bestem Granit. Die weite Firnfläche ist ein oft angeflogener Gletscherflugplatz, von dem aus die Besteigung der Aiguille du Tour [3540 m] nur eine Kleinigkeit ist. Die Abfahrt nach Trient überwindet mehr als 2000 Meter Höhendifferenz. Links die Cabane du Trient, Eigentum der Sektion Diablerets des SAC und des Schweiz. Frauenalpenklubs.
Bild rechts: Auf der rechten Seitenmoräne des Corbassière-Gletschers verläuft der obere Teil des Aufstiegs zur Panossière-Hütte am Grand Combin. Der Combin de Corbassière [3715 m], der hier über dem Corbassière-Gletscher aufragt, ist dem Grand Combin vorgelagert. Seine Besteigung ist eine erstklassige Frühlingsskitour, die sich vor der grandiosen Szenerie der Eisabbrüche des Grand Combin vollzieht.

Die Panossière-Hütte der Sektion Genf des SAC liegt am rechten Rand des Corbassière-Gletschers auf 2671 Meter Höhe. Es ist eine Hütte im traditionellen Stil, mit 61 Schlafplätzen, die nur im Sommer bewartet wird. Der Aufenthalt in solchen Hütten ist dem Bergsteiger ein stilles Vergnügen, besonders dann, wenn nicht zu viele Leute auf ein freies Feuerloch am Herd warten. Nach langem Hüttenaufstieg mit schwerem Sack, bei der Rückkehr von einer strengen Tour, nach Schneesturm oder Regenschauern, gibt es keine lieblichere Melodie als das Knistern des Feuers im Herd.
Geschützt und geborgen fühlt sich in solch bescheidenem Haus der Alpinist. Inmitten einer oft harten Urnatur aus Fels, Schnee und Eis ist die Hütte eine Oase des Lebens.
Alle Hütten des SAC, mit Ausnahme einiger Tessiner und Bergeller Hütten, sind jederzeit für jeden Bergsteiger offen. Das zeugt von einem schönen Vertrauen der Hüttenbesitzer in die Gemeinschaft der Bergsteiger, das kaum mißbraucht wird.
Der Alpinist trägt sich nach seiner Ankunft ins Hüttenbuch ein, vergißt nicht, genaue Angaben über die geplante Tour zu hinterlassen, und bezahlt Übernachtungs- und Holztaxen entweder in die Hüttenkasse oder später mit dem Postcheck.

Folgende Doppelseite
Aufstieg über den Corbassière-Gletscher. Rechts Grand Combin de Valsorey [4184 m] und Grand Combin de Grafeneire [4314 m], links der Grand Combin de Tsessette [4141 m].
Der Skiaufstieg über den Korridor [rechts außen] ist während mindestens einer Stunde vom Eisschlag bedroht und hat schon eine größere Zahl von Todesopfern gefordert.

Linke Seite
Bild oben: Skibergsteiger im Aufstieg zum Frühstücksplatz am Grand Combin, der sich über dem links ersichtlichen Felspfeiler befindet.
Bild unten: Abfahrt von der Panossière-Hütte nach Fionnay im Val de Bagnes, Mitte Mai. Der Schnee ist im obern Teil hart, gegen Fionnay hinunter bester Sulz. Als Abfahrtszeit wird oft der frühe Morgen gewählt, weil nach zu starker Sonneneinstrahlung der Schnee faul wird. Im Hintergrund Mont Fort [3328 m] und Rosablanche [3336 m].

Rechte Seite
Bild oben: Die Vignettes-Hütte der Sektion Monte Rosa des SAC, am Col des Vignettes in verwegen exponierter Lage auf 3157 Meter Höhe stehend, ist ein wichtiger Haute-Route-Stützpunkt. In einem der schönsten Teilabschnitte der langen Traversierung kann von hier in einem Tag über die Cols de l'Evêque, du Mont Brûlé und de Valpelline Zermatt erreicht werden.
Bild unten: Auf der weiten Kuppe der Pigne d'Arolla [3796 m], welche in gut zwei Stunden von der Vignettes-Hütte aus erreichbar ist, bereiten sich die Skifahrer auf die Abfahrt vor. Bei schönstem Wetter peitscht eine steife Bise den Schnee auf. Im Hintergrund das Matterhorn.

«Wohl der mächtigste Obelisk der Alpen.» Marcel Kurz, Ing. Topograph, Verfasser der Clubführer durch die Walliser Alpen und einer der besten Alpenkenner überhaupt, meint das Matterhorn. Der 4477 Meter hohe schweizerisch-italienische Grenzgipfel ragt isoliert über dem Talabschluß des Mattertals auf. Kein Berg der Schweiz hat so wie das Matterhorn seit über hundert Jahren das Bewußtsein einer breiten Bevölkerungsschicht angesprochen. Matterhorn, dieser schöne Name ist zum Synonym für den Begriff Berg geworden. Die Einheimischen im Mattertal nannten den großen Berg seit jeher nur «z'Hora», das Horn.
Die Erstbesteigung am 14. Juli 1865 durch die Engländer Edward Whymper, Charles Hudson, D. R. Hadow und Francis Douglas und die Führer Michel Auguste Croz und Peter Taugwalder Vater und Sohn war ein bergsteigerischer Triumph, der aber durch den tragischen Ausgang der Tour verdüstert wurde. Beim Abstieg stürzten Croz, Hudson, Hadow und Douglas von der Schulter über die Nordwand in die Tiefe des Matterhorngletschers. Whymper und die beiden Taugwalder verdankten ihr Leben dem Reißen des Seils.
Der Weg der Erstbesteiger führte über den Nordost- oder Hörnligrat, der auf diesem Bild gut sichtbar ist. Der Hörnligrat ist der längste, aber auch der leichteste der vier Matterhorngrate. Weil das Matterhorn ein reiner Felsberg ist, sind die Besteigungsbedingungen bei guter Ausaperung am günstigsten. Die größte Gefahr bildet am Hörnligrat oft der durch vorauskletternde Partien verursachte Steinschlag. Aber auch Wetterstürze können an diesem hochaufragenden Gipfel überraschend schnell eintreten.

Der Zmuttgrat am Matterhorn gehört zu den großen Aufstiegswegen in den Alpen. Der selbständige, gut trainierte Bergsteiger wird ihn dem Hörnligrat vorziehen. Der klassische Weg führt von der tief gelegenen Schönbiel-Hütte [2694 m] zum Fuße des Firngrats. [Bild rechts.]
Den Firngrat, den einzigen am Matterhorn, kann der Alpinist auch von der 600 Meter höher gelegenen Hörnlihütte erreichen. Diese Variante ist aber zeitweise stark dem Steinschlag ausgesetzt. Der Aufstieg über den Zmuttgrat ist lang. Seine Schwierigkeit hängt stark von den Schnee- und Eisverhältnissen in der Westflanke ab, in die der Bergsteiger auf der Galerie Carrel queren muß, um erst weit oben wieder den eigentlichen Grat zu erreichen. [Bild links. Im Hintergrund die Dent Blanche.]
Die Erstbesteigung wurde am 3. September 1879 von A. F. Mummery mit Alexander Burgener, Johann Petrus und Augustin Gentinetta durchgeführt.

Folgende Doppelseite
Bild links: Winterliche Verhältnisse herrschen am Matterhorn. Fünf Zermatter Bergführer – angeführt von Heinrich Taugwalder, dem Enkel und Urenkel der Erstbesteiger-Führer, sind es Egon Petrig, Alfons Lerjen, Richard Andenmatten und Andreas Biner – erkunden die Aufstiegsbedingungen am Hörnligrat fünf Tage vor der Jahrhundertfeier der ersten Besteigung.
Bild rechts: Übergang vom Italiener Gipfel zum Schweizer Gipfel im Juni, nach einer Durchsteigung des Zmuttgrats. Wer den Berg in seiner ganzen Schönheit erleben will, wählt gerne den Frühsommer für seine Besteigungen. Die Tage sind lang, und der Touristenstrom ist noch fern.

Der Südost- oder Furggengrat ist der schwierigste und steilste Gratweg am Matterhorn. Er bildet die Trennungslinie zwischen der Ost- und der Südwand des Berges und zugleich die Landesgrenze zwischen Italien und der Schweiz. Von der Furggenschulter [4243 m] bäumt sich der Gipfelbau senkrecht auf.
Der Furggengrat hat eine sehr lange und dramatische Besteigungsgeschichte. Am 28. August 1899 bezwang Guido Rey den Grat im Abstieg. Viel Seil und zwei Strickleitern ermöglichten ihm den Abstieg über den senkrechten Abbruch. Zwölf Jahre darauf, am 9. September 1911, gelang Mario Piacenza mit Jean Joseph Carrel und Joseph Gaspard der Aufstieg zum Gipfel. Diese Seilschaft wich vor dem senkrechten Absatz in die brüchige Südwand aus. Erst neunzehn Jahre später, am 2. September 1930, wiederholten Enzo Benedetti, Luigi Carrel [Carellino] und Maurice Bich den Weg Piacenzas, indem sie gleichzeitig die Traversierung in die Südflanke auf das Notwendigste beschränkten. Dieser Weg ist heute die normale Furggengratroute. Eine extreme Hakenkletterei ist die direkte Bezwingung des großen Aufschwungs. Sie wurde am 23. September 1941 von Enzo Perino und Giacomo Chiara [zweiter Führer] unter der Führung Luigi Carrels durchgeführt.
Der Furggengrat ist bis heute eine sehr schwierige und ernsthafte Hochtour geblieben, die nicht oft durchgeführt wird. In unzuverlässigem Gestein sind auf über 4000 Meter Höhe Klettereien vom fünften Schwierigkeitsgrad zu meistern.
Der Zermatter Führer René Arnold sichert auf unserem Bild seinen Kollegen Paul Etter aus Walenstadt in der ersten schwierigen Seillänge am großen Aufschwung.

Die Besteigung des Matterhorns über den Furggengrat wurde mit einem Biwak auf dem Gipfel gekrönt. Nicht, weil sich solch ein Biwak aus Zeitgründen aufdrängte, sondern einfach aus Freude und Begeisterung, diesen großen Berg in seiner nächtlichen Stille zu erleben und die Schönheit der letzten Abend- und der ersten Morgensonne auf so einmaligem Podest zu genießen.
Das ausklappbare Panorama zeigt die Aussicht vom Matterhorngipfel von Richtung Südwest bis Nordost. Es wurde im September morgens um halb sechs Uhr aufgenommen. Der Abstieg erfolgte über den Liongrat. Am ersten fixen Seil, wenig unter dem Gipfel, steigt hier Paul Etter ab.

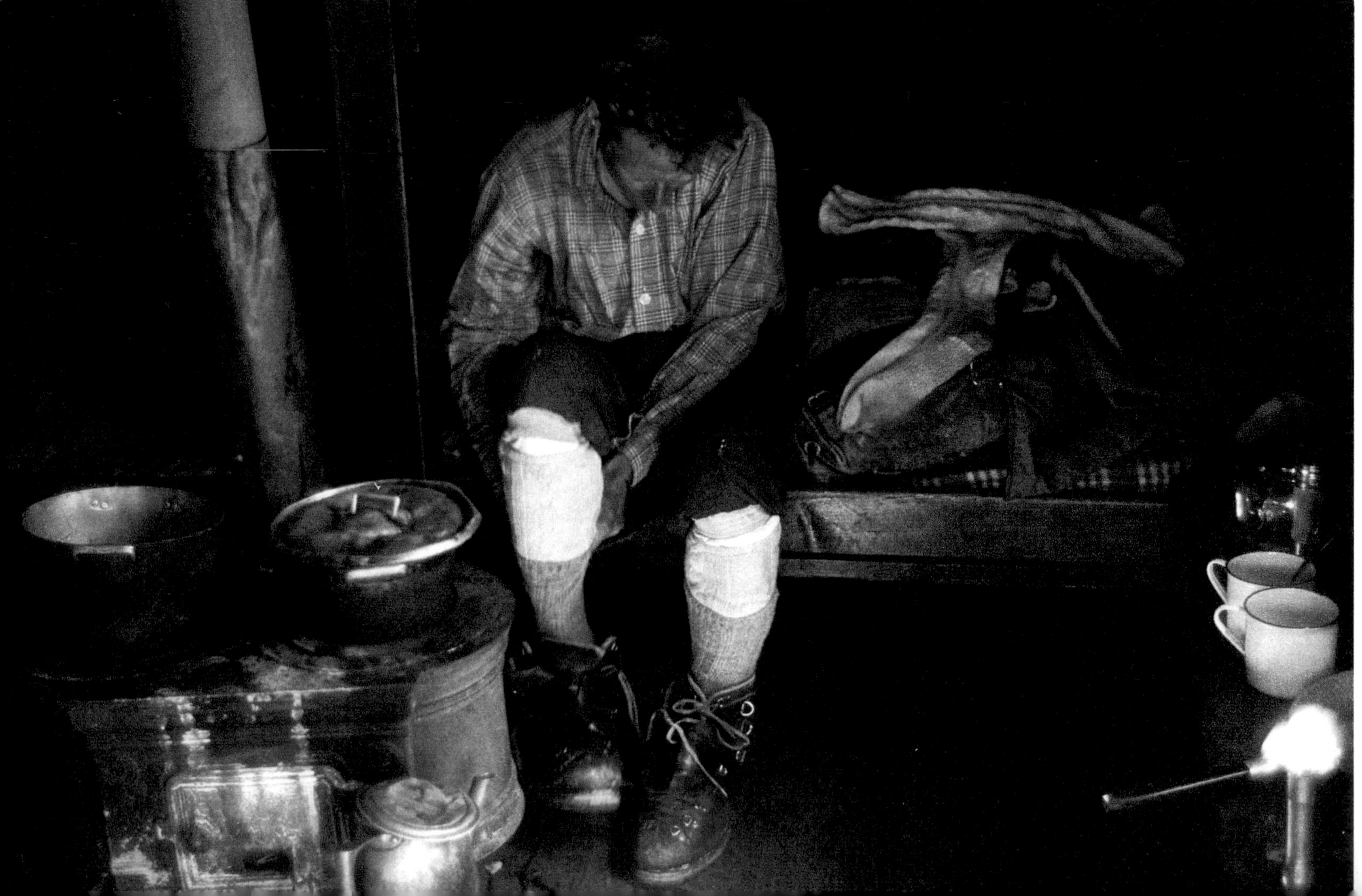

In der Capanna Luigi Amedeo di Savoia [3835 m], dem hoch gelegenen Ausgangspunkt für die Durchsteigung des Liongrats, erleichtert sich Bergführer René Arnold von seiner warmen Biwakbekleidung.
Der Weg vom Col de Lion [3581 m] nach Breuil hinunter ist stellenweise dem Steinschlag ausgesetzt. Rechts die Felsen der Tête de Lion. Der Südwest- oder Liongrat ist die klassische Aufstiegsroute von Breuil. Sie wurde erstmals von den Führern Jean-Antoine Carrel und Jean Baptiste Bich am 17. Juli 1865 begangen, ganze drei Tage nach der ersten Durchsteigung des Hörnligrats. Der Liongrat hat die beste Felsstruktur aller Matterhorngrate.
Die kleine Plattform unter den Eiszapfen diente Edward Whymper als zweiter Biwakplatz bei seinem Besteigungsversuch über den Liongrat.
Die Dent d'Hérens [4171 m] im Hintergrund senkt sich in einem langen und schwierigen Grat zum Col Tournanche [3884 m]. Dieser Grat, einer der imposantesten der Alpen, hat eine horizontale Länge von 2200 Meter und überwindet 687 Meter Höhendifferenz. Er wurde erstmals am 30. Juli 1906 von der Seilschaft V. J. J. Ryan / Jos. Lochmatter / Franz Lochmatter begangen.

Bild links: Nach einem Schlechtwettertag im Juli reißt der Wolkenvorhang für wenige Minuten auf. Von der Rothornhütte geht der Blick über die Firnkuppe des Untergabelhorns zum frisch verschneiten Matterhorngipfel. Links der Hörnligrat, rechts der oberste Teil des Zmuttgrats, dazwischen ein Teil der steilen Nordwand, die am 31. Juli und am 1. August 1931 von den Brüdern Franz und Toni Schmid aus München als eines der letzten großen Probleme der Alpen durchstiegen wurde. Am 3. Februar 1962 gelang Hilti von Almen aus Lauterbrunnen und Paul Etter aus Walenstadt in einem dramatischen Wettlauf mit Seilschaften verschiedener Länder die erste Winterbegehung. Walter Bonatti krönte seine legendäre Bergsteigerlaufbahn mit einer winterlichen Nordwanddirettissima im Alleingang. In vier Tagen, vom 18. bis zum 22. Februar 1965, kämpfte er sich auf neuer Route durch die Wand.

Bild unten: Über Dom und Täschhorn künden in der Morgenfrühe prächtige Hakenzirren schlechtes Wetter an. Der 4545 Meter hohe Dom [links] ist der höchste ganz in der Schweiz liegende Alpengipfel. Seine Besteigung von Randa aus, über das Festijoch und den oberen Hohberggletscher, ist alpintechnisch einfach und auch im späten Frühjahr mit Ski möglich.
Das Täschhorn, mit 4490 Meter wenig niedriger als sein Nachbar, hat keinen leichten Anstieg. Rechts hinunter zieht sich der schwierige und lange Südwestgrat, der unter dem Namen Teufelsgrat bekannt ist.

Der 4545 Meter hohe Dom ist nicht ganz das, was man unter einem Ski-Viertausender versteht. Zum Ski-Viertausender fehlt die Abfahrtsmöglichkeit bis ins Tal hinunter. Der Weg von Randa im Mattertal zur 2929 Meter hoch gelegenen Domhütte der Sektion UTO des SAC ist steil und führt über Felsstufen. Trotzdem erhielt der Dom bereits am 18. Juni 1917 Besuch von Skibergsteigern. Der berühmte englische Skipionier Arnold Lunn und der nicht weniger berühmte Bergführer Josef Knubel stiegen über den Hohberggletscher mit Ski bis zum Gipfel. Für die Abfahrt bis zum Festijoch benötigten sie ganze vierzig Minuten. Unsere Besteigung fand Mitte Juni statt und war als Skibesteigung geplant. Sehr schlechte Schneeverhältnisse ließen aber den Aufstieg über den Festigrat ratsamer erscheinen. Der Festigrat ist, vor allem im Frühsommer, ein Eis- und Schneeaufstieg, der bei Blankeis ordentliche Schwierigkeiten bieten kann.

Jungadler im Horst, wenige Tage vor dem ersten Flug. Der Steinadler [Aquila chrysaëtos chrysaëtos] wird bis zu 80 Zentimeter lang und erreicht eine Flügelspannweite von 180 bis 220 Zentimeter. Seit dem Dezember 1952 ist der Steinadler in der ganzen Schweiz geschützt. Der Bestand hat seit dieser Zeit wieder zugenommen, und das Aussterben dieses eindrücklichen Königs der Lüfte muß nicht mehr befürchtet werden. Das Revier des Adlers ist sehr groß, der angebliche Wildschaden, den er darin anrichtet, steht in keinem Verhältnis zu seinem Nutzen als Gesundheitspolizist.

Carl Stemmler, der beste Adlerkenner der Schweiz, hat in seinem Werk «Der Steinadler in den Schweizer Alpen» den Nachweis erbracht, daß der größte Teil der Schauergeschichten, die über den Adler im Umlauf sind, mit der Wirklichkeit nichts zu tun hat.

Märchenschloß aus blaugrün schillerndem Eis im Sellagletscher. Phantastisch und geheimnisvoll sind die großen Eisströme der Alpen, die in ihren Felsenbetten von den hohen Bergen zu Tal fließen. Wo das Felsenbett bucklig ist oder abbricht, zerreißt und zersplittert der Gletscher. Eisabbrüche entstehen; Zonen höchster landschaftlicher Schönheit, aber auch größter Gefahr. Das Schöne und das Schreckliche sind hier vereint.

Das Zermatter Breithorn ist von den vielen Breithörnern der Schweizer Alpen das höchste und breiteste. Zweieinhalb Kilometer lang ist der Gipfelkamm mit Westgipfel [4165 m], Mittelgipfel [4160 m], Ostgipfel [4141 m] und Schwarzfluh [4075 m]. Schon 1813 wurde das Breithorn von der Südseite her über das Breithornplateau erstmals bestiegen. Der von Henry Maynard mit Joseph Marie Couttet, Jean Gras, Jean Baptiste und Jean Jacques Erin eröffnete Weg ist die Normalroute und der leichteste Anstieg auf einen Viertausender. Die sanften Gletscher und Firnfelder, die sich vom Breithorn zur Testa Grigia und zum Theodulpaß erstrecken, sind seit dem Bau von Seilbahnen und Skilifts zu einem beliebten Frühjahrs- und Sommerskigebiet geworden.
Die Nordflanke zwischen Klein Matterhorn und Schwarztor gehört zu den großartigsten Eis- und Felsmauern der Alpen. Am 3. September 1919 wurde sie durch Dietrich von Bethmann-Hollweg mit den Führern Othmar und Oskar Supersaxo erstmals durchstiegen. 1926 gelang dem berühmten Münchner Nordwandspezialisten Wilo Welzenbach mit zwei Kameraden auf leicht geänderter Route die zweite Begehung.

Die Route, die der Autor mit den Bergführern Paul Etter und René Arnold im Juni 1964 durch die Breithorn-Nordwestwand einschlug, weicht im untern Teil sowohl vom Weg Bethmann-Hollweg wie vom Weg Welzenbach ab. Statt rechts der großen Felsbastion, die sich ziemlich genau in der Gipfelfallinie hinunterzieht, über den stark zerschrundeten Gletscher aufzusteigen, wurde dieser breite Felsrücken von unten direkt durchstiegen.
In solch vergletscherten Bergflanken wird der einzuschlagende Weg durch die jeweiligen Verhältnisse stark mitbestimmt. Auf dem linken Bild überwindet Paul Etter einen Eiswulst. Mit dem Pickelhammer in der rechten und einem Eishaken in der linken Hand schafft er sich die notwendigen «Griffe», während er auf den Zacken seiner Steigeisen höher steigt. Bild rechts zeigt jenen Teil des Aufstiegs, wo der Felsrücken aus dem steilen Eis sich emporreckt.

Bild links: Im mittleren Teil der Breithorn-Nordwestwand streift die Morgensonne Rippen und Buckel der gewaltigen Flanke. Über dem Abbruch eines namenlosen Gletschers der Gornergletscher.
Bild rechts: Der Bergschrund bildet die Grenze zwischen sich bewegendem Gletscher und ruhendem Fels oder Firn. Bei starker Ausaperung kann es schwierig sein, ihn zu überwinden. Findet sich keine tragfähige Schneebrücke, so können zeitraubende Manöver nötig werden. Gut gesichert prüft Bergführer Paul Etter eine Schneebrücke über den Bergschrund, der die gut 50 Grad steile Firn- und Eisflanke der Lenzspitze vom Hohbalngletscher trennt.

Der Weg von Saas Fee zur 3329 Meter hoch gelegenen Mischabelhütte schlängelt sich durch steile Hänge, die nachmittags im Schatten liegen. Die Hütte gehört dem Akademischen Alpenklub Zürich, steht aber wie die SAC-Hütten allen Bergsteigern offen. Sie ist der Ausgangspunkt für Touren wie Lenzspitze, Dom, Nadelhorn, Hohberghorn, Dürrenhorn, Ulrichshorn. Eine besonders schöne Eistour im Gebiet der Mischabelhütte ist die Nordostwand der Lenzspitze [4294 m]. Sie wurde erstmals am 7. Juli 1911 von Dietrich von Bethmann-Hollweg mit den Führern Oskar und Othmar Supersaxo durchstiegen. Die glatte Flanke, die von weitem oft wie ein Spiegel glänzt, ist vom Bergschrund bis zum Gipfel 500 Meter hoch und hat eine Durchschnittsneigung von 50 bis 55 Grad. Die für den Eisliebhaber sehr lohnende und objektiv sichere Wand hatte bis 1940 nur fünf Begehungen, wird aber heute mit Frontzackensteigeisen öfters begangen. Genußvoller Abschluß dieser Tour ist die Gratkletterei vom Gipfel der Lenzspitze zum Nadelhorn [4327 m], von wo ein leichter Abstieg zur Hütte zurückführt.
Paul Etter hackt nach einer Seillänge eine Standstufe. Zusammen mit einer Eisschraube ergibt sich so ein Sicherungsplatz.

Folgende Doppelseite
Blick aus dem oberen Drittel der Lenzspitze-Nordostwand. Links unten der Hohbalngletscher, rechts in der Tiefe Saas Fee.
Über dem Saastal von links nach rechts: Fletschhorn [3996 m], Lagginhorn [4010 m], Weißmies [4023 m] und Portjengrat [3653 m].

Das Obergabelhorn [4063 m] bietet dem Alpinisten dankbare Aufstiegswege.
Bild rechts: Über dem Mountet-Gletscher reckt sich eine gut 400 Meter hohe Eisflanke auf, die das charakteristische Bild des Berges von der Nordseite bestimmt. Links der Flanke der Ostnordostgrat, Normalweg von der Zermatter Seite, rechts der Nordnordwestgrat, der Normalweg von der Mountet-Hütte her.
Die 55 Grad steile Nordostwand wurde am 30. Juli 1930 durch Rudolf Schwarzgruber und Hans Kiener erstmals durchstiegen. Die erste Besteigung des Berges erfolgte am 6. Juli 1865 durch A. W. Moore und Horace Walker mit Jak. Anderegg über die Ostflanke.
Bild unten: Der Berg von der Mountet-Hütte her. Durch die felsige Nordnordwestflanke führt im untern Teil der Normalweg. Rechts zieht sich der Arbengrat hinunter.
Bild ganz unten: Ausgangspunkt für den heutigen Normalweg von Zermatt ist die Rothornhütte [3200 m] der Sektion Oberaargau des SAC, vor der die Bergsteiger den Wolkenhimmel mustern.

Bild links: Aufstieg von der Rothornhütte zur Wellenkuppe [3903 m], die bei der Besteigung des Obergabelhorns überschritten wird. Im Hintergrund von links nach rechts: Nadelhorn, Lenzspitze, Dom, Täschhorn und Alphubel. Die Besteigung der Wellenkuppe allein ist eine dankbare kleinere Hochtour, die prächtige Einblicke in die Walliser Gipfelwelt bietet.

Bild rechts: Der Ostnordostgrat mit dem großen Gendarm wurde am 1. August 1890 durch L. Norman-Neruda und Christian Klucker erstmals begangen. Die Umgehung des gegen die Wellenkuppe hin sehr steilen Gratturms bot oft große Schwierigkeiten. 1918 hat der Zermatter Führerverein am Gendarm ein fixes Seil angebracht, das die Besteigung wesentlich erleichtert.

Das Zinal-Rothorn [4221 m] ist ein ausgeprägter Felsberg, der aus rauhem, festem Gneis aufgebaut ist. Kein Gipfel in der Runde von Zermatt und Zinal vermag den Felskletterer mehr zu locken als die elegante Spitze des Rothorns. Der schartige Nordgrat, der von der Mountet-Hütte angegangen wird, ist der Weg der Erstbesteiger Leslie Stephen und F. C. Craufurd mit den Führern Melchior und Jakob Anderegg [22. August 1864].

Linke Seite
Vom Grat des Blanc, einer Firnschneide, die zur Schulter am Nordgrat führt, hat der Bergsteiger einen vortrefflichen Einblick in die Nordflanken des Matterhorns, des Obergabelhorns und der Dent d'Hérens. Direkt unter der Matterhornnordwand [oberes Bild] die Wellenkuppe, ganz links im Vordergrund der Südwest- oder Rothorngrat.

Rechte Seite
Der Südwest- oder Rothorngrat von der Wellenkuppe aus gesehen. Wie eine mächtige Treppe steigt er [vom untern linken Bildrand her] gegen den Gipfel hinauf. Der im August 1901 von C. R. Groß mit Rudolf Taugwalder erstmals im Aufstieg durchkletterte Grat ist ohne Zweifel eine der genußvollsten Hochgebirgsklettereien der Alpen. Bildmitte links der obere Teil des Nordgrates mit der Grande Bosse.

Von Simplon-Dorf führt ein abwechslungsreicher Aufstieg über die weite Schafalp Hohsaß zum Lagginbiwak [2752 m]. Das Lagginbiwak ist ein Geschenk des Schweizerischen Frauenalpenklubs an den SAC. Es bietet Platz für zwölf Personen und steht auf einem Gratausläufer des Fletschhorns [3996 m].
Im oberen Teil des gut vierstündigen Anstiegs, wo Wegspuren fehlen, markieren Steinmänner den richtigen Weg.
Die Besteigung des Fletschhorns, dieses fast Viertausenders, ist ein lohnendes Ziel von der modernen Leichtmetallhütte aus. Der Südostgrat überwindet in leichter, aber hübscher Kletterei gute 1200 Meter Höhendifferenz.

Blick vom Lagginbiwak gegen die Gondo-Schlucht.
Hinter der ersten Bergkette im rechten Bildteil verläuft das Zwischbergental mit dem Camoscellahorn [2610 m] – eines der unbekanntesten Gebirgstäler der Schweiz.

Über die Bewunderung der Berge

Brief vom Arzt
Konrad Geßner
[1516–1565]
an Jakob Vogel

Den hochberühmten Herrn Jakob Vogel grüßt Konrad Geßner, der Arzt.
Ich habe mir vorgenommen, sehr gelehrter Vogel, fortan, so lange mir Gott das Leben gibt, jährlich mehrere, oder wenigstens *einen* Berg zu besteigen, wenn die Pflanzen in Blüte sind, teils um diese kennen zu lernen, teils um den Körper auf eine ehrenwerte Weise zu üben und den Geist zu ergötzen. Denn welche Lust ist es, und, nicht wahr, welches Vergnügen für den ergriffenen Geist, die gewaltige Masse der Gebirge wie ein Schauspiel zu bewundern und das Haupt gleichsam in die Wolken zu erheben. Ich weiß nicht, wie es zugeht, daß durch diese unbegreiflichen Höhen das Gemüt erschüttert und hingerissen wird zur Betrachtung des erhabenen Baumeisters. Die stumpfen Geistes sind, wundern sich über nichts, sie brüten in ihren Stuben und sehen nicht das große Schauspiel des Weltalls; in ihren Winkel verkrochen wie die Siebenschläfer im Winter, denken sie nicht daran, daß das menschliche Geschlecht auf der Welt ist, damit es aus ihren Wundern etwas Höheres, ja das höchste Wesen selbst begreife. Soweit geht ihr Stumpfsinn, daß sie gleich den Säuen immer in den Boden hineinsehen und niemals mit erhobenem Antlitz gen Himmel schauen, niemals ihre Augen aufheben zu den Sternen. Mögen sie sich wälzen im Schlamm, mögen sie kriechen, verblendet von Gewinn und knechtischer Streberei! Die nach Weisheit streben werden fortfahren, mit den Augen des Leibes und der Seele die Erscheinungen dieses irdischen Paradieses zu betrachten, unter welchen nicht die geringsten sind die hohen und steilen Firste der Berge, ihre unersteiglichen Wände, die mit ihren wilden Flanken zum Himmel aufstreben, die rauhen Felsen und die schattigen Wälder...
Ich behaupte daher, daß ein Feind der Natur sei, wer die erhabenen Berge nicht einer eingehenden Betrachtung würdig erachtet. Gewiß scheinen die Gipfel des Hochgebirges bereits über ein gewöhnliches Schicksal erhaben und unsern Stürmen entzogen zu sein, als wären sie in einer andern Welt gelegen. Ganz anders wirkt dort die Kraft der machtvollen Sonne, und der Luft, und der Winde. Ewig bleibt da der Schnee; und der weiche Stoff, der sogar bei der Berührung der Finger zerfließt, weist selbst die Angriffe der Sonnenglut ab. Er weicht auch nicht der Zeit, sondern gefriert nur immer mehr zu härtestem Eis und dauerndem Kristall... Wer könnte die Arten der Tiere und die hochgelegenen Futterplätze des Wildes in den Bergen zureichend beschreiben? Was die Natur an andern Orten vereinzelt und spärlich hervorbringt, das zeigt, bietet und erklärt sie auf den Bergen zur Genüge und überall, gleichsam gehäuft, und sie stellt uns ihren ganzen Reichtum, alle ihre Kleinodien vor Augen.
Daher wird die höchste Bewunderung für alle Elemente und für die Mannigfaltigkeit der Natur durch die Berge erweckt. In ihnen erkennt man die riesenhafte Bürde der Erde, mit der die Natur sich gleichsam offenbaren und eine Probe ihrer Kraft geben will, indem sie ein solches Gewicht hebt, das dazu noch beständig mit gewaltigem Druck abwärts zieht. Hier entspringen die reichen Quellen der Gewässer,

die hinreichen, um die Erde zu tränken. Oft sind Seen auf den Berggipfeln, wie wenn die Natur ihr Spiel treiben würde und Freude daran hätte, das Wasser aus den tiefsten Brunnenschächten von weither emporzuheben. Man kann in weitem Umkreis die Luft ausgebreitet sehen, die genährt und vermehrt wird durch die unmerkliche Verdunstung der Berggewässer. Sie ist zuweilen in weiten Höhlen eingeschlossen und bringt Erdbeben hervor, die an einigen Orten dauernd sind. Im Berg ist auch Feuer, dessen Wirken, wie das eines Schmiedes, Metalle erzeugt. Anderswo zeugen heilkräftige warme Quellen von dem Dasein eines Feuers, besonders an mehreren Orten unserer Schweiz. Es kommt vor, daß Flammen hervorbrechen, wie am Ätna, am Vesuv und an einem Berg bei Grenoble. An andern Orten aber ist das Feuer, wenn es sich auch nicht kundtut, im Erdinnern verborgen. Denn warum sinken die Berge in der langen Reihe der Jahrhunderte nicht zusammen, warum werden sie nicht aufgezehrt, weder durch die Stürme, denen sie ständig preisgegeben sind, noch durch Regen und Wildwasser? Ohne Zweifel ist das Feuer die Ursache für die Entstehung der Berge wie auch für ihre Dauer. Wenn nämlich die feurige, in der Erde verborgene Masse durch die natürliche Gewalt emporgetrieben wird, so verfolgt sie ihren eigenen Weg, und wenn sie ausgebrochen ist, reißt sie, wie klein auch das Loch sei, große Erdmassen mit sich.

Da sich nun hier die Gewalt aller Elemente und der ganzen Natur an einer Stelle gehäuft offenbart, so ist es nicht zu verwundern, daß die Alten eine Art Gottheit in den Bergen verehrten und demnach viele Berggötter sich vorstellten, wie den Faun, den Satyr, den Pan, denen sie Ziegenfüße zuschrieben und sie Halbziege, Geißfuß, Bockbein nannten, wegen der rauhen Wildnis der Berge und weil diese Tiere sich auf den Bergweiden wohl fühlen. Diese halten sie für die Urheber des Schrekkens, weil bei der Betrachtung von solchen waldigen und hochgelegenen Gegenden das Herz ich weiß nicht was für ein Staunen ergreift, das größer ist als das, welches menschliche Dinge einflößen. Vor allem aber ist Pan, ein Bewohner der Berge, das Sinnbild des Weltalls, dessen Grundkräfte, wie gesagt, den Bergen eigen sind und von dort ihren Ursprung haben und die dort ihre Gewalt am mächtigsten ausüben. Deshalb ist auch Pan mit einem Tannenzweig bekränzt, weil die Tanne Gebirge, Wald und Größe anzeigt. Zu seinem Sohn macht man den Bukolion, der zuerst das Weiden des Viehs lehrte. Alle die von alters her verehrten Gottheiten der Nymphen sind in den abgelegenen Schlupfwinkeln der Berge zu finden, die Oreaden, die Alseïden, die Heleionomen, die Hydriaden, die Kreniden, Epipotamiden, Limnaden, Naiaden, Leimoniaden, Epimeliden, Dryaden und Hamadryaden. [Berg-, Hain-, Sumpf-, Wasser-, Quell-, Fluß-, See-, Wiesen-, Bauern- und Baumnymphen.] Die Jägerin Diana liebt die Berge. Die Musen durchstreifen den zweigipfligen Parnaß und die lieblichen Gefilde des Helikon und die Gipfel Joniens und Pieriens. Das sind zwar Märchen, aber einen Kern von Wahrheit bergen sie in ihrer Schale.

Aber woher kommt es, daß Berggegenden so reich sind an Wäldern? Weil sie eine

Menge Nährstoffe haben und Wasserquellen, häufigen Regen und eine Masse Schnee, welcher nämlich besonders nützlich ist, weil er allmählich schmilzt und in den Boden eindringt und nicht mit der ganzen Feuchtigkeit in einem Guß die Erde überschwemmt und auseinanderfließt...
Es sind noch viele andere Gründe, derenthalb mich das Schauspiel der Berge über alle Maßen ergreift, und da die Berge bei uns am höchsten sind und, wie ich höre, an Pflanzen viel reicher als an andern Orten, so kommt mit das Verlangen, sie zu besuchen, wozu mich eben deine Freundschaft einlädt...
Leb wohl
Zürich, im Monat Juni, im Jahre des Heils 1541.

Ricco Bianchi

Vom Bau der Alpen

1. Aus der Gesteinslehre [Petrographie]

Wer sich für die Beschaffenheit eines Gebäudes interessiert, tut gut, sich zunächst etwas mit dem Baumaterial zu beschäftigen. Das Baumaterial unserer Gebirge sind die verschiedenen Gesteinsarten, und diese wieder setzen sich zusammen aus den Mineralien. Die Mineralien aber sind die natürlich entstandenen Elemente und chemischen Verbindungen unserer Erdkruste.

Bei der Anlage von Bohrlöchern bei Tunnelbauten oder Erdölbohrungen beobachtet man eine auffällige Temperaturzunahme nach der Tiefe hin. Mit je 32 Meter Tiefe erhöht sich die Temperatur um zirka 1 Grad Celsius. Das bedeutet, daß schon bei einer Tiefe von weniger als 50 Kilometer sämtliche Stoffe im flüssigen oder gasförmigen Zustand vorliegen müssen. Tatsächlich bilden die immer wieder zu beobachtenden Vulkanausbrüche mit Ausstoßung von Dämpfen und flüssiger Lava den direkten Beweis für diese Annahme. Und indirekt läßt sich daraus wohl mit großer Wahrscheinlichkeit ableiten, daß unsere Erde zunächst als glühender Gasball, gleich der Sonne, ihre Bahn zog und durch langsame Abkühlung in den gegenwärtigen Zustand gelangte. Die feste Erdkruste kann also im Verhältnis zum Erdradius nur sehr dünn sein. Und auch sie ist unserer direkten Beobachtung nur zum kleinsten Teil zugänglich. Und trotzdem, welche Fülle von verschiedenen Gesteinsarten läßt sich beobachten! Folgen wir der allgemein üblichen Einteilung, die auf die Entstehung zurückgreift, so kommen wir zunächst zur Hauptgruppe der *Magmatischen Gesteine* oder *Eruptivgesteine*. Sie entstanden durch Abkühlung des Magmas, das heißt der flüssigen Erdmasse. Erfolgte die Abkühlung langsam in größerer Tiefe, so bildeten sich große, gut entwickelte Kristalle. Solche Gesteine besitzen eine körnige Struktur und werden als Tiefengesteine bezeichnet. Beispiele bilden: Granit, Syenit, Diorit und Gabbro. Bei schnellerer Abkühlung erstarrt das Magma rascher und bildet kleine Kristalle, die einander beim Wachstum stören. Es entsteht eine feinkörnige Grundmasse. Es kann aber auch sein, daß einzelne große Kristalle schon vorher als sogenannte «Einsprenglinge» in der Grundmasse erstarrten. Dann spricht man von einer porphyrischen Struktur, wie sie bei den typischen Porphyrarten zu beobachten ist. Bei Abkühlung direkt an der Erdoberfläche erstarrt das Magma oft «glasig», das heißt, man kann überhaupt keine einzelnen Kristallformen mehr unterscheiden [vulkanische Lava, Ergußgesteine]. Da wir im Alpengebiet nur wenig Vulkanismus hatten, sind auch solche Gesteinsarten bei uns selten. Immerhin müßten wir die Arten von Spilit und Keratophyr aus dem Kärpfgebiet im Glarnerland hier einordnen. Nun liegen aber die meisten Gesteinsarten unserer Alpen, die durch langsame Abkühlung und Erstarrung des Magmas entstanden, nicht mehr in ihrer ursprünglichen, unveränderten Form vor. Sie wurden vielmehr durch mannigfache Einflüsse, wie Druck, Temperatur, Kontakt mit andern Magmaarten oder Bewegungsvorgänge in der Erdkruste, verändert. Aus den Magmatischen Gesteinen entstanden die sogenannten *metamorphen* oder *umgewandelten Gesteinsarten*. Ein bekanntes Beispiel einer derartigen Umwandlung bilden die sehr verbreiteten Gneis-

arten. Wir wissen, daß die Gneise sich oft aus Graniten entwickelt haben. Beim Granit sind die Hauptmineralien Feldspat, Quarz und Glimmer ohne eine bestimmte Ordnung im Gestein verteilt. Beim Gneis dagegen herrscht eine Hauptlagerungsrichtung, insbesondere der blätterigen Glimmerkristalle, vor. Besonders schön ist das zum Beispiel beim Streifengneis zu beobachten. Gewöhnlich sagt man, die Textur [lat. textura = Gewebe] ist beim Gneis schieferig, beim Granit dagegen massig, das heißt praktisch frei von Hohlräumen. Die Struktur, also die Ausbildung der Mineralien, ist dagegen bei beiden Arten körnig. Die große Mehrzahl der als «Granit» bezeichneten Bausteine sind in Wirklichkeit umgewandelte, also Gneisarten [Tessiner Granit, Gotthardgranit, Andeerer Granit usw.]. Man spricht sehr oft auch von «Kristallinen Schiefern», das heißt von Gesteinsarten mit Kristallen als Gemengeteilen, die aber eben einen «schieferigen Aufbau» besitzen.
Schließlich kennen wir noch eine dritte Hauptgruppe in Form der sogenannten *Sedimente oder Ablagerungsgesteine*. Sie entstanden sekundär aus Magmatischen Gesteinen oder Kristallinen Schiefern. Schon während der Entstehung unserer Gebirge waren auch die abtragenden Kräfte tüchtig an der Arbeit. Das fließende Wasser in Verbindung mit chemischen Lösungsvorgängen ist in erster Linie beteiligt an den sogenannten Erosionsprozessen [lat. erodere = nagen]. Gesteinsarten und Mineralien werden dabei aufgelöst und als kleine Teilchen weggeführt. Wird eine derartige Lösung übersättigt, so setzen sich die Teilchen wieder ab [Sedimentation]. Auf diese Weise entsteht zum Beispiel in Röhren, durch welche man kalkhaltiges Wasser leitet, eine Kalkkruste, die ständig dicker und dicker wird und schließlich die Röhre unbrauchbar macht. Zur Zeit der Dampflokomotiven waren solche Beläge als Kesselstein recht gefürchtet, da sie gelegentlich zu Explosionen der Kessel führten. Aber auch in unsern modernen Haushaltboilern muß der Kesselstein periodisch entfernt werden, wenn das Wasser reich an Kalkteilchen [Ca-Ionen] ist. In den großen Meeresbecken, die zu bestimmten Zeiten unserer Erdgeschichte das Land bedeckten, entstanden auf diese Weise die Kalkgebirge. Wenn wir annehmen, daß zur Ausscheidung von einem Meter Kalkstein 7000 Jahre nötig sind, können wir uns ungefähr ein Bild von der Wachstumsgeschwindigkeit unserer vielhundert Meter hohen alpinen Kalkwände machen! Und in ähnlicher Weise hätten wir uns auch die Bildung der Dolomitberge vorzustellen, während für die Bildung von einem Meter Sandstein aus Quarzteilchen zirka 1200 Jahre benötigt wurden. Nun sind aber lange nicht alle Ablagerungsgesteine so fein wie Kalk oder Dolomit. Auch gröbere Produkte der Abtragung gelangten in die Meeresbecken und wurden dort wieder zu Gesteinen verfestigt. Ein derartiges Gestein, aufgebaut aus gerundeten Komponenten, ist zum Beispiel die Nagelfluh, wie wir sie am Rigi, am Napf oder im Toggenburg so schön zu sehen bekommen. Sind die Komponenten eckig, so bezeichnet man die Gesteine als Breccien. Solche treten in sehr verschiedener Ausbildung im Alpengebiet auf. Eine als Dekorationsgestein sehr geschätzte Art ist zum

Eine verborgene Zauberwelt sind die Mineralklüfte des Gebirges. Nur dem Auge des Kenners, sei er berufsmäßiger Strahler oder Liebhaber, zeigen sich diese Schätze von außen an.

Bild oben: Bergkristall mit Rutil-Einschluß aus dem Tavetsch.
Bild unten: Gruppe kleiner Kristalle aus dem Calfeisental.

Beispiel die sehr buntfarbige im Tessin gebrochene Breccie von Arzo [marmo d'Arzo].
Diese wenigen Hinweise und Erklärungen aus dem Gebiet der Gesteinslehre zeigen, wie sehr schon allein die Gesteine Auskunft geben können über die Entstehungsgeschichte eines Gebirges. Wer immer sich also für solche Fragen interessiert, der prüfe zunächst einmal das Baumaterial und dann erst das Gebäude als Ganzes!

2. Tektonische Grundbegriffe

Der Begriff Tektonik läßt sich ableiten aus «Architektonik», bezieht sich also auf den Bau der Erdkruste im engern Sinne [griech. tektonikos = «zum Bau gehörig»]. Da die Tektonik eine der jüngern Zweigwissenschaften der Geologie vorstellt, die sich besonders mit den Bewegungsvorgängen im Gesteinsmantel beschäftigt, läßt sie sich auch als die «Lehre von den Bewegungen der Erdkruste» auffassen.
Knüpfen wir zur Ableitung einiger Grundbegriffe an das Beispiel der Entstehung eines Sedimentgesteins an. Wenn ein im Riesenbecken eines Meeres abgelagertes Kalk- oder Dolomitgestein einfach unbeeinflußt dort liegenbliebe, so müßten die abgelagerten Schichten alle schön parallel und mehr oder weniger waagrecht verlaufen. Gerade in unsern Alpen aber läßt sich dieser Schichtenverlauf praktisch nirgends beobachten. Dafür aber findet man immer wieder Unterbrüche und mächtige Faltungen. Das läßt sich nur verstehen, wenn wir annehmen, daß der Gesteinsmantel unserer Gebirge in großzügige Bewegungsvorgänge einbezogen wurde. Diese Vorstellung bereitete dem geologischen Denken der ältern Geologengeneration einige Schwierigkeiten, besonders deshalb, weil man für die notwendigen Kräfte und den Mechanismus solcher Bewegungen zunächst keine Erklärungen fand. Absolut sichere Erklärungen haben wir dafür allerdings auch heute nicht. Immerhin gibt es viele Hypothesen ältern und jüngern Datums, die wir als Arbeitsgrundlagen verwenden können. So denkt man zum Beispiel neuerdings auch an atomare Kräfte, wie sie entstehen beim Zerfall radioaktiver Substanzen. An der eigentlichen Tatsache tektonischer Bewegungen wird heute allerdings kein Beobachter mehr zweifeln – zu offensichtlich zeigen sich überall die Biegungen, Faltungen und Überschiebungen unserer Gebirge.
Als Vertikalbewegungen bezeichnet man zunächst Hebungen und Senkungen von Teilen der Erdkruste. Solche müssen im Ablauf der Erdgeschichte recht oft vorgekommen sein. Bedeutete zum Beispiel die Hebung eines Meeresbeckens zugleich die Überflutung der Nachbargebiete und damit die Einleitung einer Meeresphase, so können wir eine entsprechende Senkung leicht als Rückzug der Wassermassen und damit als Einleitung einer Landphase für die nun entwässerten Gebiete verstehen. Über solche Vorgänge geben uns insbesondere die in den Sedimentgesteinen enthaltenen Versteinerungen von Tier- und Pflanzenkörpern Auskunft. Ja, die auf-

Bild links: Beim Dörfchen Euseigne am Beginn des Val d'Hérens steht eine Reihe seltsamer Mergelgebilde mit Köpfen aus gewaltigen Granitblöcken. Die harten Granitblöcke haben die weiche Unterlage vor der Erosion geschützt.

Bild unten: Gletscherschliff am Roseggletscher. Der abgeschmolzene Gletscher macht einen Teil seines alten Bettes frei. Die Hobelwirkung des Eises ist gut zu erkennen.

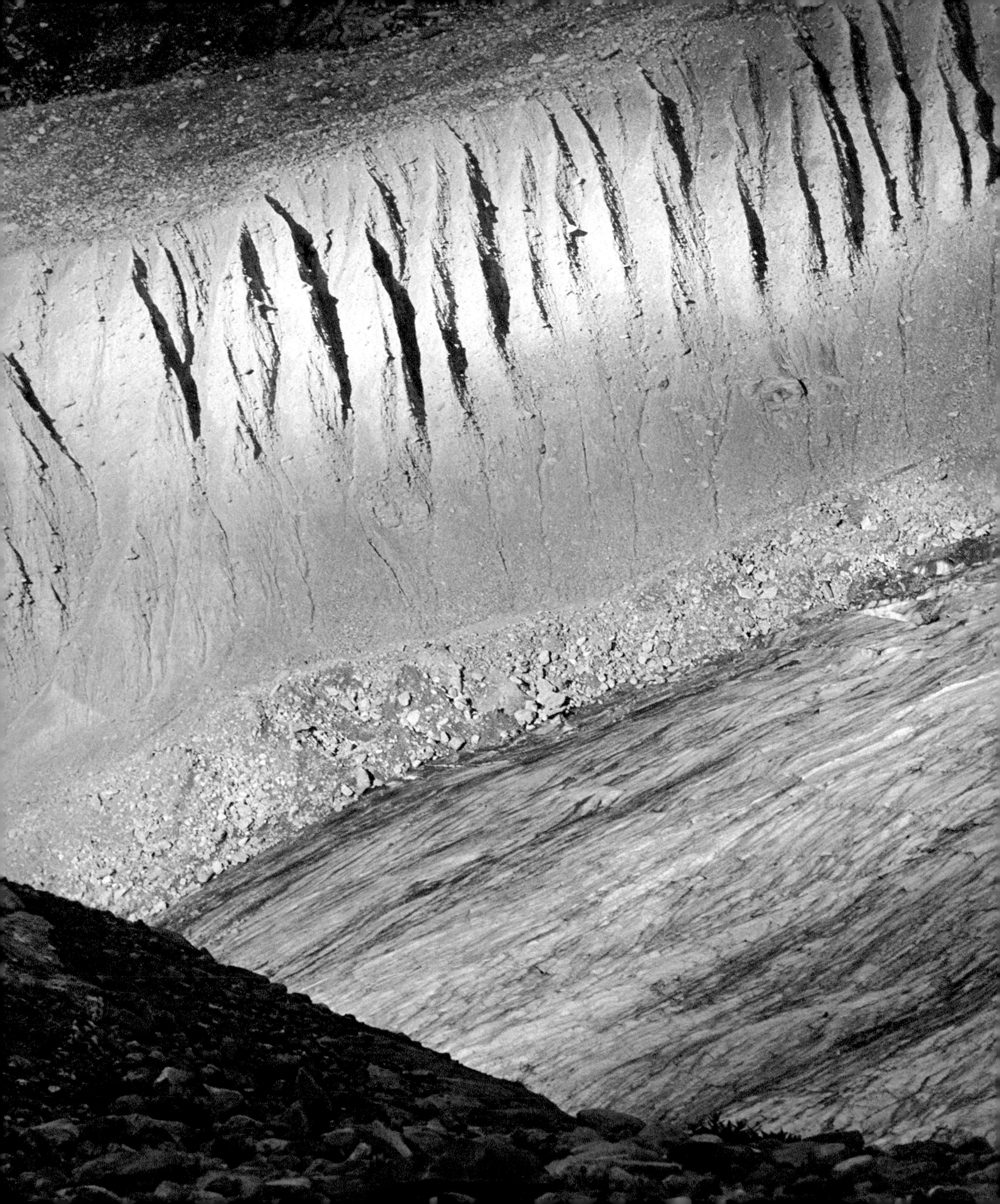

Bild links: Die steil abfallende Moräne des Tschiervagletschers.
Bild unten: Kleine Seen schmücken manchen unserer Hochalpenübergänge. Der Oberalpsee ist 1,2 Kilometer lang. Sein klares Wasser ist der Lebensraum der Bergforelle.

Der Stembach im Tavetsch. Hunderte solcher schäumender, spritzender Bäche, die jedem Bergsteiger ein Inbegriff von Naturschönheit sind, hat der technische Fortschritt in den letzten Jahrzehnten mehr oder weniger zum Versiegen gebracht. Der Bau immer größerer Speicherwerke in den Bergen zwang die Elektrizitätsgesellschaften, auch die Bäche abseits gelegener Täler anzuzapfen und ihre Wasser durch Stollen den Stauseen zuzuführen. Erst langsam werden die ernsten Probleme erkannt, welche die künstliche Veränderung des Wasserhaushalts der Natur schafft.

gefundenen Versteinerungen von Meeresbewohnern oder Süßwassertieren sagen sogar eindeutig, ob das entsprechende Becken Süßwasser oder salzhaltiges Meerwasser enthielt. So muß das ganze Becken des schweizerischen Mittellandes zum Beispiel mehrmals gewechselt haben zwischen Süß- und Salzwasserperioden. Versteinerungen aus der Meeresphase sind Haifischzähne, solche des Süßwassers bestimmte Muschelarten. Eine Hebung des Beckens bedeutet Verbindung mit umliegenden Meeresteilen, also Salzwassereinbruch, eine Senkung Abgrenzung und Isolierung von denselben und damit Aussüßung durch die Alpenflüsse, also Beginn der Süßwasserperiode.
Nach der Lehre von der Isostasie [Gleichgewichtszustände zwischen der festen Erdkruste und dem darunterliegenden Magma] sind Hebungen und Senkungen bestimmter Teile der Erdkruste zum Teil als Ausgleichvorgänge zu erklären. Man kann sich denken, daß ein im Laufe von geologischen Zeiträumen immer stärker belasteter Teil der Erdrinde langsam tiefer und tiefer in das zähflüssige Magma eintaucht, sich also langsam senkt. Stärkere Belastungen können beispielsweise durch Aufschüttung riesiger Schuttmassen, durch Bildung von Ablagerungsgesteinen in Meeresbecken oder auch durch mächtige Eisdecken entstehen. So weiß man, daß sich die Skandinavische Halbinsel in den letzten hundert Jahren um etwa einen Meter gehoben hat. Die Hebung wird gedeutet als Ausgleich zu der durch das Abschmelzen der mächtigen Eiskalotte entstandenen Entlastung der Halbinsel. Sie «hinkt» zeitlich stark hinter der Abschmelzung nach infolge der Zähflüssigkeit des tragenden Magmas. Nach diesen Vorstellungen müßte auch der Alpenbogen in seiner Gesamtheit schon zur Zeit seiner Entstehung durch Zusammenschub und Auffaltung sich tief in die Magmaunterlage gesenkt haben. Die Gipfel wären also nie sehr viel höher gewesen als heute und die Annahme eines Alpenkammes von 5000 bis 7000 Meter Höhe wäre zu revidieren.
Senkungen kleinern Ausmaßes sind für den Geologen natürlich leichter zu übersehen und abzugrenzen. Wird durch einen derartigen Senkungsvorgang eines bestimmten Gebietes der Zusammenhang mit den nicht eingesunkenen Schichten erhalten, so spricht man von einer Verbiegung oder Flexur. Wird die Verbindung dagegen zerrissen, so entsteht ein Bruch oder eine Verwerfung. Das schöne und in den Geologielehrbüchern immer wieder zitierte Beispiel eines Grabenbruches bildet die Oberrheinische Tiefebene zwischen Basel und Frankfurt. Die Sprunghöhe, das heißt der Betrag der Senkung, liegt zwischen 1100 und 5000 Meter. Das entspricht natürlich nicht der heute sichtbaren Differenz zwischen den eingesunkenen und nicht eingesunkenen Schichten. Erstere verlaufen in der Zone der Maximalsenkung etwa in 4000 Meter Tiefe! Der erst entstandene Trog wurde später durch Ablagerungsmaterial größtenteils wieder aufgefüllt. Vielleicht verlief die Senkung auch so langsam, daß sich Absinken und Auffüllen ungefähr die Waage hielten. Die nicht von der Senkung betroffenen Grabenränder lassen sich im Süden besonders schön

studieren. Es sind die sogenannten Urgesteinshorste des Schwarzwaldes und der Vogesen. Nach den Vorstellungen der Isostasie müssen sie im Ausgleich zu den zentral absinkenden Schichten seitlich emporgestaut worden sein.
Brüche oder auch ganze Bruchsysteme kleinern Ausmaßes finden sich überall in den Alpen. Sie sind meist auch in den geologischen Karten vermerkt.
Neben den Vertikalbewegungen haben auch Horizontalbewegungen insbesondere die alpine Landschaft entscheidend beeinflußt. Wird auf eine mehr oder weniger waagrecht verlaufende Gesteinsschicht von einer Seite her ein Druck ausgeübt, so kann diese entweder nach unten oder nach oben ausweichen, das heißt, es kommt zu Faltenbildungen. Man wird vielleicht einwenden, daß solche Faltungen wohl zu verstehen seien, wenn sie halbfestes Urgesteinsmaterial betreffen, nicht aber, wenn es um die an sich harten und spröden Kalk- oder Dolomitsedimente gehe. Gerade die Kalkschichten sind aber in den Alpen oft besonders schön in Falten gelegt worden [Kreuzberge, Faltenjura usw.]. Und man vergißt oft, daß die heute an der Erdoberfläche liegenden Schichten vor Jahrmillionen tief im Erdinnern lagen und erst durch die verschiedenen Erosionsprozesse freigelegt wurden. Unter genügend hohem Druck und bei hohen Temperaturen aber wird jedes Material plastisch verformbar. Faltenbildungen von Muldenform nennt man Synklinalen, und entsprechend können die Synklinaltäler entstehen. Ausbiegungen nach oben geben Anlaß zu Kuppenbildungen und heißen Antiklinalfalten. Oft sind natürlich ganze Faltensysteme entwickelt, und die Zusammenhänge wurden durch Erosionsprozesse zum Teil zerstört. Es ist dann Aufgabe des Geologen, sie wieder zu konstruieren. Untersucht man die oft sehr schön entwickelten Kleinfältelungen im Kristallinen Schiefer, so findet man häufig typische S-förmige Faltenbildungen. Man kann sich denken, daß es sich dabei um «überkippte Falten» handelt. Auch im Großen sind solche Erscheinungen oft zu beobachten, allerdings vielleicht erst, wenn das geschulte Auge des Geologen den Verlauf richtig sah und klarstellte. Neben dem «Hangenden» ist das «Liegende» der Falte zu unterscheiden, und die Verbindung der beiden Teile heißt Mittelschenkel. Im Mittelschenkel ist die Schichtlage infolge der Umbiegung um 180 Grad eine verkehrte, das heißt, die jüngern Schichten liegen zuunterst, die ältesten zuoberst. Gelangt eine solche überkippte Falte durch unablässigen einseitigen Druck in mehr oder weniger waagrechte Lage, so bezeichnet man sie als Decke, sobald sie größeres Ausmaß besitzt. Der Mittelschenkel wird dann im Laufe der Schubbewegungen weitgehend ausgewalzt und gequetscht, also in seiner Mächtigkeit stark reduziert oder eventuell ganz zerstört. Gerade in den Alpen kam es aber auch oft zu mächtigen Überschiebungen ganzer Gebirgsteile, die ihren Ursprung nicht in einer derartigen Faltung nahmen.
Ein bekanntes und oft studiertes Beispiel dieser Art bildet die Gipfelregion der Glarner Alpen. Schon 1830 beobachtete Arnold Escher, daß die Gipfel dieser Zone auf weite Strecken von altem Verrucanogestein gebildet werden, das auf viel jüngern

Sedimenten aufliegt. Diese «verkehrte Schichtlage» versuchte Albert Heim durch seine Theorie der «Glarner Doppelfalte» zu erklären, indem er nördlich und südlich eine vollständige Umfaltung der Schichten mit Überkippung annahm. Die beiden Faltenstirnen hätten sich in der Gegend des Foopasses fast berührt. Die moderne Auffassung nimmt eine einfache Überschiebung einer mächtigen Schubmasse von Süden nach Norden an. Die Schubmasse selbst lagerte ursprünglich in Form von Sedimentschichten über dem Aar- und Gotthardmassiv. Sie wurde durch die nördlich vordringenden Penninischen Decken von ihrer Unterlage abgeschürft und nach Norden verfrachtet. Die Überschiebungslinie ist zum Beispiel in der Gegend des Segnespasses als wunderbar scharf ausgebildete Grenzlinie von leuchtendhellem Kalk auf große Distanz sichtbar, im gesamten Alpengebiet wohl das schönste Beispiel einer großen alpinen Überschiebungsbewegung. Allerdings wurde der größte Teil der überschobenen Schichten im Laufe geologischer Zeiträume abgetragen, so daß heute nur noch die alte Basis in Form des Verrucano als gipfelbildende Klippen auftritt. Klippen sind also im geologischen Sinne alte Gesteinsschichten auf einer jüngern Unterlage. Ein sehr bekanntes Beispiel dieser Art bilden auch die Mythen als Reste der sogenannten Klippendecke. Die beiden so auffällig geformten Gipfelstöcke bestehen aus Kalk und liegen einer viel jüngern Unterlage aus weichen Flyschgesteinen auf.

Als Gegenstück der Klippe läßt sich das Geologische Fenster auffassen, wie es zum Beispiel aus der Gegend von Schuls im Unterengadin bekannt wurde. In diesem Fall überlagert zunächst eine ältere Decke eine jüngere. Durch Erosion werden die ältern Schichten an einer Stelle abgetragen, so daß die jungen Gesteine zum Vorschein kommen. [Aus einem echten Fenster muß immer etwas Junges herausschauen, pflegte Professor R. Staub in seiner Vorlesung zu sagen.] Im Falle des Unterengadins sind es die «jugendlichen Bündnerschiefer».

Die Begriffe jung und alt im geologischen Sinne bedürfen wohl auch noch einer kurzen Erläuterung. Wir nehmen an, daß unsere Erdkruste seit mehr als zwei Milliarden Jahren existiert. Die eigentliche Erdgeschichte begann mit dem Erdaltertum [Paläozoikum] vor rund 500 Jahrmillionen, und dies dauerte 300 Jahrmillionen. Dann folgten das Erdmittelalter [Mesozoikum] mit zirka 140 und die Neuzeit [Neozoikum] mit zirka 60 Jahrmillionen Dauer. Die Einheit der geologischen Zeitrechnung bildet also jeweils eine Million von Jahren. Wie bescheiden und unbedeutend nimmt sich der winzige Abschnitt der Menschheitsentwicklung in dieser ungeheuren Zeitrechnung aus!

Da Lage und Verlauf der Gesteinsschichten dem Geologen oft die einzigen Hinweise über den Bewegungsablauf vermitteln, ist es klar, daß er hier mit seinen Beobachtungen zuerst einsetzt. Er versteht unter dem «Streichen der Schichten» ihre allgemeine geographische Richtung, unter dem «Fallen» dagegen ihre Abweichung von der Horizontalen. Das Fallen wird oft auch in geologischen Karten in Winkel-

graden angegeben. So ist zum Beispiel der Ausgangspunkt einer Decke, die sogenannte Wurzel, dadurch gekennzeichnet, daß die Schichten steilgestellt werden, also von der waagrechten in die senkrechte Lage übergehen. Damit soll aber nicht gesagt sein, daß wir heute schon über die Wurzelzonen aller Deckensysteme unserer Alpen Bescheid wissen. Über den zeitlichen Ablauf einer Faltung respektive Überschiebung gilt folgende Regel: Die Bewegung ist älter als die älteste nicht bewegte überlagernde Schicht und jünger als die jüngste noch mitbewegte Schicht.
Nachdem wir uns nun einige Zeit mit den von Bewegungen erfaßten Teilen unserer Alpen beschäftigt haben, soll auch noch kurz auf die «an Ort und Stelle» verbliebenen Abschnitte hingewiesen werden. Man bezeichnet diese als autochthone Massive [autochthon = bodenständig]. So liegen zum Beispiel die Hauptteile der Berner und Urner Alpen im Gebiete des über hundert Kilometer langen Aarmassivs, das sich aus der Gegend des Lötschentals im Wallis bis zu den Brigelserhörnern im Bündner Oberland erstreckt. Südlich der Rhone-Rhein-Furche, etwa zwischen Brig und Ilanz, befindet sich das Gotthardmassiv mit der Gotthard- und Rotondogruppe und mit den Medelser Bergen. Im Westen der Alpen erheben sich entsprechend die Massive des Mont Blanc und der Aiguilles Rouges. Das Baumaterial dieser Gebirge besteht aus Urgesteinsarten, insbesondere aus Graniten und Gneisen paläozoischen Alters. Neben diesen alten Zentralmassiven sind im Alpenbogen aber auch noch viel jüngere Massive bekannt geworden. So zum Beispiel die Eruptivkörper von Adamello und Presanella im Veltlin und die Bergeller Berge mit den Gipfeln des Forno-, Albigna- und Bondascagebietes. Der Erguß erfolgte in diesen Fällen nach der Faltung der alpinen Decken im Tertiär, indem der Eruptivstock die Decken von unten her durchschmolz. Hauptgesteinsarten sind vorwiegend grobe und feine Granitarten. In den Randzonen lassen sich besonders schöne Gesteinsumwandlungen [Kontaktmetamorphosen] beobachten.
So hätten wir also im Gebiet der Schweizer Alpen als tektonische Einheiten einerseits die autochthonen Massive und anderseits die sehr komplizierten Deckensysteme.
Letztere werden aufgeteilt in:
1. Helvetische und Romanische Decken [nördliche Kalkalpen, Simmentaler und Saanealpen westlich des Thunersees]
2. Penninische Decken [im allgemeinen südlich der Längstalfurche Rhone-Rhein; Walliser, Tessiner, Bündner Alpen, dazu Niesenflysch]
3. Ostalpine Decken [östlich der Linie Chur–Oberhalbstein–Maloja–Chiavenna. Im Süden abgegrenzt durch das Veltlin, im Norden durch die Linie Rätikon–Arlberg]

Und nun bleibt uns nach der Besprechung einiger Elemente der Tektonik zum Schluß dieses Kapitels noch die Aufgabe, kurz die Entstehungsgeschichte unseres schönen Alpenbogens zu skizzieren.

Er stellt in seiner Gesamtheit ein junges Faltengebirge dar, das im Golf von Genua beginnt, sich zunächst in nördlicher Richtung erstreckt, um im Mont-Blanc-Massiv in den Westalpen seine größte Höhe zu erreichen. Dann folgt die fast rechtwinklige Abbiegung in östlicher Richtung mit ziemlich gleichmäßiger Höhenabnahme der Ketten bis zum Ausklingen der Höhenzüge in der Nähe von Wien. Auch der schweizerische Faltenjura wird als «Ast der Alpen» aufgefaßt. Gleichzeitig mit den Alpen entstanden auch die hohen Faltengebirge an der pazifischen Küste von Nord- und Südamerika oder in Europa der Apennin, die Karpaten und der Balkan. Man bezeichnet diese Gebirge als jung, weil sie hauptsächlich im Tertiär entstanden sind.
Nach der allgemeinen Auffassung bestand damals ein gewaltiger «Südblock» [Gondwanaland], aufgebaut aus den Kontinenten Afrika, Südamerika und Vorderindien. Im Norden dagegen lag der Block Europa und Asien [Eurasia]. Ein mächtiges «Urmittelmeer» [Thetys] trennte die beiden Blöcke. Es bildete die mächtige Geosynklinale, in der sich durch Ablagerung während des ganzen Mesozoikums gewaltige Sedimentschichten angehäuft hatten. Aus Gründen, die wir heute noch nicht erklären können, begann nun der Südblock sich langsam gegen Norden zu bewegen. Die Sedimente der Thetys wurden in Falten gelegt, überschoben und nach Norden verfrachtet. Sie bilden heute in ihrer Gesamtheit die Penninischen Decken südlich der Rhone-Rhein-Furche im Raume der Schweizer Alpen. Aber auch die Sedimente über dem Aar- und Gotthardmassiv mußten sich im Laufe der andauernden Schubbewegung falten und nach Norden verlagern. Sie bilden heute die Helvetischen Decken. Und als höchste Elemente der alpinen Deckentreppe überfuhren endlich die Ostalpinen Decken alle schon vorhandenen Schichten. Über den Raum ihrer Wurzelzone gehen die Lehrmeinungen noch heute stark auseinander. Vielleicht sind sie bereits afrikanisches Vorgebirge, und die Mythen als ostalpine Klippenreste würden damit zu einem Stück Afrika im Zentrum der kleinen Schweiz.

Berner Alpen
Wallis, nördlich der Rhone

Für zwanzig Rappen Eigersensation erhascht die junge Dame am Fernrohr auf der Kleinen Scheidegg. Seit drei Tagen versucht eine Seilschaft den Durchstieg durch die über 1500 Meter hohe Nordwand des Eigers [3970 m]. Ein buntes Ferienvölklein drängt sich um die Fernrohre und versucht etwas vom Nervenkitzel zu erhaschen, den Zeitungen und Illustrierte seit Jahren immer wieder verbreiten.
Als vom 21. bis 23. Juli 1938 der Seilschaft F. Kasparek, H. Harrer, A. Heckmaier und L. Vörg die erste Durchsteigung der Nordwand geglückt war, hatten vorangehende Besteigungsversuche schon neun Todesopfer gefordert.
Nachdem die attraktive Wand nun bereits eine Winterbegehung, eine winterliche Direttissima, eine Frauendurchsteigung und einen Alleingang hinter sich hat, dürfte die Eiger-Publizität schon etwas abflauen.
Eine Durchsteigung der Eigernordwand ist nach wie vor eine erstklassige alpinistische Leistung, die um so sympathischer berührt, je weniger Aufhebens davon gemacht wird.

Der leichteste Aufstieg auf den Eiger führt über die Westflanke. Dieser Weg der Erstbesteiger Charles Barrington, Christian Almer und Peter Bohren [1858] ist teilweise recht heikel und nicht frei von Stein- und Eisschlaggefahr.

Der Nordost- oder Mittellegigrat gilt als der schönste Eigeraufstieg. 1885 wurde er von M. Kuffner mit Alexander Burgener, J. M. Biner und A. Kalbermatten im Abstieg begangen, nachdem Alexander Burgener zwei Tage vorher am großen Turm seine Aufstiegsversuche hatte abbrechen müssen. Noch viele Jahre hindurch trotzte der steile Grat mit seinen glatten Aufschwüngen allen Begehungsversuchen. Sogar zwei so berühmte Führerlose wie H. Pfann und A. Horeschowsky wurden im Juli 1921 abgewiesen.

Die erste Besteigung glückte am 10. September 1921 dem Japaner Yuko Maki mit den Führern Fritz Amatter, Fritz Steuri und Samuel Brawand. Diese Seilschaft verwendete Mauerhaken, Nägel, Hammer, Bohrer und eine fünf Meter lange Stange mit Eisenspitze und Haken.

Ausgangspunkt für den Mittellegigrat ist die Mittellegihütte des Grindelwaldner Führervereins, die auf dem untern Teil des Grates selbst steht [Bild links oben]. Rechts der Hütte sind Schreckhorn [4078 m] und Lauteraarhorn [4042 m] sichtbar, zwei Gipfel aus bestem Gestein, deren Traversierung eine erstklassige Tour ist.

Das Bild links unten zeigt den Blick vom Mittellegigrat zum Wetterhorn [3701 m].

Eindrücklich ist der Blick vom Grat in die wilde Gletscherwelt zur Linken [Bild rechts]. Über den beiden Mönchsjöchern ist das Aletschhorn [4195 m] sichtbar. Links der Trugberg [3932 m].

Über einen fast horizontalen Firngrat erreicht der Bergsteiger von der Mittellegihütte her die ersten Felsabsätze. Der Eiger hat vom Mittellegigrat aus gesehen eine imponierende, schlanke Felsgestalt. Die Erkletterung der Steilaufschwünge wird durch fixe Seile erleichtert, doch darf deswegen die Tour nicht unterschätzt werden.

Über dem 1700 Meter hohen Nordabsturz des Eigers steigt der Alpinist dem Gipfel zu, unter sich grüne Weiden, dunkle Wälder und ferne Hügelzüge. Nur wenige Punkte in den Alpen bieten einen solchen Kontrast von Hochgebirge und Hügelland.

Die außerordentlich exponierte Lage des Eigers ist auch verantwortlich für die sehr schnellen und gefürchteten Wetterstürze.

Glücklich betritt der Bergsteiger den verfirnten Gipfelfirst des Eigers. Über dem Mittelland türmen sich weiße Kumuluswolken auf. Im Gipfelsteinmann ist ein Gipfelbuch versteckt. In diesem Buch zu blättern macht dem Alpinisten Spaß. Namen von Freunden und Bekannten tauchen auf, aber auch von fremden Städten und Ländern. Gipfelbücher dokumentieren die große Gemeinschaft der Bergsteiger.
Nachbar des Eigers ist der Mönch [4099 m]. Vom Eigergipfel kann er über den Südgrat und das Eigerjoch erreicht werden. Bild oben rechts zeigt einen Blick durch das Teleobjektiv vom obern Mönchsjoch in die Zentralalpen. Rechts im Vordergrund der Ochs [3900 m].
Bild unten rechts: Blick vom Mönch über den Jungfraufirn zum Konkordiaplatz. Rechts Aletschhorn und Dreieckhorn mit der markanten Haslerrippe. Links aus dem Nebelmeer ragend das Eggishorn, darüber das Helsenhorn.

Bild links: Das Jungfraujoch [3475 m] und der Jungfraugipfel [4158 m]. Der rechte Gipfel ist die niedrigere Wengenjungfrau. Der Felsgrat, der sich von der Wengenjungfrau zum Jungfraujoch herabzieht, ist eine schwierige, prächtige Kletterei. Links hinunter zieht sich der Südostgrat zum Rottalsattel. Er vermittelt den leichtesten Anstieg. Bis zum Rottalsattel können im Frühjahr die Ski verwendet werden. Die Jungfrau bietet dem guten Eisgeher in ihren großartigen, vergletscherten Nordabstürzen lohnende Aufstiege. Klassisch ist die schon 1865 eröffnete Guggi-Route, direkter die Nordwandroute der Seilschaft Lauper / Schuhmacher aus dem Jahre 1926.

Bild rechts oben: Die Jungfraubahn mit ihrer weltberühmten Endstation Jungfraujoch ermöglicht die Besteigung einiger Hochgipfel ohne lange Hüttenanstiege. Ein besonders leicht erreichbarer Viertausender ist der Mönch [4099 m]. Vom obern Mönchsjoch, das in einer Stunde vom Jungfraujoch zu erreichen ist, steigt ein hübscher Grat zum Gipfel, der im obern Teil meist stark überwächtet ist. Besonders schön ist der Blick auf das dominierende Finsteraarhorn [4273 m]. Links davon Großes Fiescherhorn [4048 m] und Ochs [3900 m], rechts das Große Grünhorn [4043 m].

Bild rechts unten: Leichte Viertausender gibt es höchstens bei sicherem, gutem Wetter und guten Verhältnissen. Pfeift der Sturm auf solchen Höhen oder ist der schöne First zu blankem Eis verwandelt, so steigen die Anforderungen an den Alpinisten erheblich.

Vom Eggishorn [2926 m], dem berühmten Aussichtsberg über Fiesch im Oberwallis, geht der Blick ins Herz der Berner Alpen. Links oben der weite Firnsattel des Jungfraujochs mit dem Sphinxfelsen, der rechts zum Mönch, links zur Jungfrau ansteigt.
Dem Mönch rechts vorgelagert der Trugberg [3932 m], anschließend als dunkle Felsenkuppe der Eiger. Die ausgedehnten Firnmulden am Fuße der hohen Gipfel nähren den 26 Kilometer langen Großen Aletschgletscher, den längsten Gletscher der Alpen.
Wo Jungfraufirn, Großer Aletschfirn und Ewigschneefeld zusammenstoßen, ist der Konkordiaplatz. Das Eis ist dort 600 bis 800 Meter dick. Rechts unten der Märjelensee, ein Gletscherrandsee von arktischem Aussehen. Die zum Konkordiaplatz vorspringenden Felsgrate lagern ihren Schutt auf dem Gletscher ab. Er bewegt sich mit dem Gletschereis talwärts und bildet die als dunkle Längsstreifen sichtbaren Mittelmoränen. Die großen Gletscher bewegen sich mit einer durchschnittlichen Geschwindigkeit von 40 Zentimeter im Tag abwärts. Ihre mehr oder minder große Zerrissenheit wird von der Form ihres Felsenbettes bestimmt.

Bild unten: Der apere Roseggletscher.

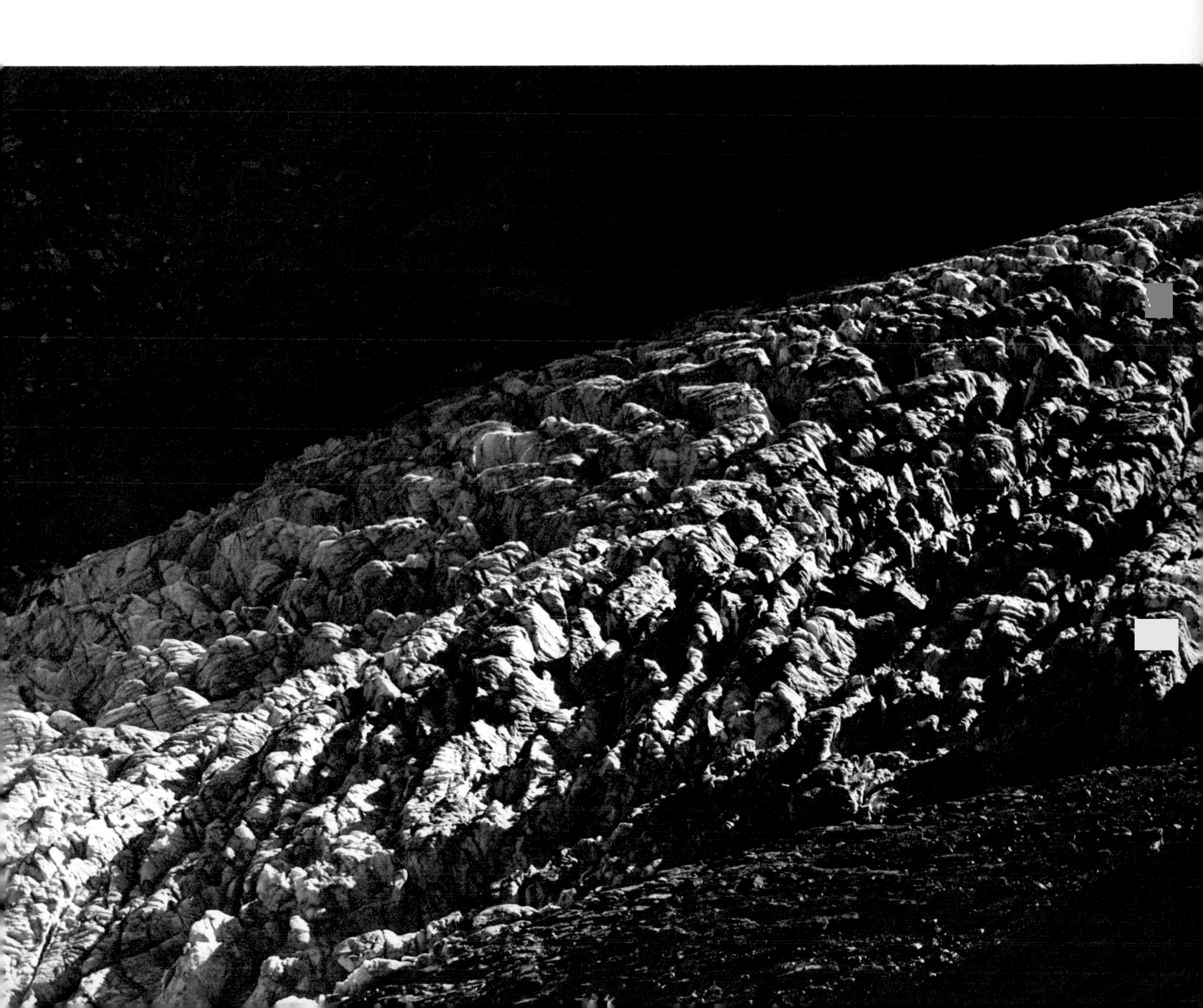

Der Weg von Außerberg, dem sonnigen Dorf über der Rampe der Lötschbergbahn, hinauf zur Baltschiederklause zuhinterst im Baltschiedertal ist sieben Stunden lang, aber nie langweilig. Durch eine steilwandige Schlucht folgt zuerst der Weg der obersten Wasserleitung, einer der berühmten «Bisses du Valais».
Über dem Rhonetal die vergletscherten Gipfel der Mischabelgruppe. Die Baltschiederklause, eine der Sektion Blümlisalp des SAC gehörende Klubhütte, liegt am Südfuß des Jägihorns [3206 m] inmitten eines nie überlaufenen, einzigartigen Klettergebiets. Hauptziel vieler Hüttenbesucher ist das mächtige Bietschhorn, das von dieser Seite seine schönsten Anstiegswege hat.

Die Urform einer alpinen Unterkunft ist die Biwakhöhle Martischüpfe im hintern Baltschiedertal [1937 m]. Solche Unterkünfte waren für die alpinen Pioniere im achtzehnten und neunzehnten Jahrhundert durchaus an der Tagesordnung. Auch der Bergsteiger, der den Komfort gemütlicher Hütten nicht verachtet, sehnt sich dann und wann nach dem spartanischen Leben der alpinen Erschließungszeit.
Die Martischüpfe ist der beste Ausgangspunkt für die Besteigung des Stockhorns [3211 m] über den Südgrat. Diese lange und schwierige Kletterei ist in den letzten Jahren recht beliebt geworden.
Auf dem letzten Wegstück zur Baltschiederklause müssen verschiedene Bäche, die vom innern Baltschiederfirn herunterfließen, überschritten werden.

Das Bietschhorn [3934 m] – Bild links unten – gehört wie der Eiger und das Fletschhorn zu jenen Gipfeln, die nur wenige Meter unter der Viertausendergrenze liegen, die aber durch ihre Lage und ihre Gestalt manchen Viertausender als Besteigungsziel übertreffen. Die besten Alpinisten wurden immer wieder vom Bietschhorn angezogen. Leslie Stephen, Jak. und Ant. Siegen und Jos. Ebner glückte am 13. August 1859 die Erstbesteigung über den Nordgrat von Westen her. Die Südwand durchstiegen am 2. September 1884 die Führerlosen Emil und Otto Zsigmondy, Ludwig Purtscheller und Karl Schulz.

Den Nordgrat vom Baltschiederjoch [Bild rechts] erstiegen am 10. Juli 1866 D. W. Freshfield und C. C. Tucker mit François Devounassoud und Fritz von Allmen.

Vom 9. bis 11. August 1932 meisterten W. Stößer und F. Kast den mit mächtigen Türmen durchsetzten Südostgrat, eine sehr lange, äußerst schwierige Tour.

Das Bild links oben zeigt den langen Verbindungsgrat zum Stockhorn in der Morgenfrühe. Noch regnet es. Aber eine Stunde später lösen sich die Wolken um das Bietschhorn auf. Südostgrat, Ostflanke und Nordgrat werden sichtbar.

Die Überschreitung Wildhorn [3247 m] – Wildstrubel [3243 m] im westlichen Teil der Berner Alpen ist eine dankbare Skitour. Der lange Weg von Lauenen nach Kandersteg über eine Reihe prächtiger Gletscher, Gipfel und Firnfelder ist im Frühjahr besonders genußvoll. Nur bei guten, absolut lawinensicheren Verhältnissen kann der Aufstieg von Lauenen zur Geltenalphütte gewagt werden. Die landschaftliche Szenerie dieses Hüttenwegs ist einmalig. Über mächtige Felsstufen ergießt sich der Geltenbach. Neben diesem als Geltenschuß berühmten Wasserfall ergießen sich zahlreiche kleinere Wasserfälle in den romantischen Felsenkessel, den der Alpinist auf einer Rampe durchsteigt. Bild links zeigt diese Rampe, wo ein Wasserfall durch die Unterspülung des Schnees Schwierigkeiten verursacht.
Westlich vom Wildstrubel dehnt sich die weite Firnfläche des Glacier de la Plaine Morte aus [Bilder rechts]. Der Charakter der Landschaft läßt an Grönland oder Spitzbergen denken. Verschiedene Bahnprojekte gefährden die Stille und Unberührtheit der Gegend. Die Versuche einer touristischen «Erschließung» dieser Gletscherwelt sind allerdings alt. Schon im Jahrbuch 1880 des SAC weiß Pfarrer E. Buß von einem Führer und Gemsjäger namens «Kätheköbel» [Jacob Tritten an der Lenk] zu berichten, der für die Fremden auf dem weiten Gletscherfeld sommerliche Pferdeschlittenfahrten durchführen wollte.

Die Engelhörner bei Meiringen sind ein an flächenmäßiger Ausdehnung bescheidener Gebirgsstock, ein nördlicher Ausläufer des vergletscherten Dossenhorns [3142 m]. Dem Alpinisten sind sie ein Begriff. Ihre Kalkfelsen bilden Zacken, Wände und Grate, die zu besteigen dem Kletterer höchsten Genuß ist. Von Rosenlaui führt ein bequemer Weg zum Ausgangspunkt der meisten Touren in den Engelhörnern, der Engelhornhütte des Akademischen Alpenklubs Bern.
Die silbrig in den blauen Himmel hineinragenden Zacken [Bild unten] erscheinen von Rosenlaui her stark verkürzt. Mächtig erscheint hingegen das den Engelhörnern gegenüberliegende Kleine Wellhorn [2701 m] auf dem Bild rechts. Links vom Wellhorn der Abbruch des Rosenlauigletschers.

Eine Treppe aus festem, schön geschichtetem Fels ist der Aufstieg von der Engelhornhütte zum Kleinen Simelistock [2383 m]. Die Traversierung des Kleinen und Großen Simelistocks ist eine sehr reizvolle Kletterei von mittlerer Schwierigkeit. Auch die exponierteste Seillänge an der Südwestkante des Großen Simelistocks [2482 m] hat genügend Griffe und Tritte.
Wie angenehm zu greifen der Engelhornfels ist, zeigt die schöne Erosionsform.

Die Westkante des Rosenlauistocks [2197 m] ist eine schöne, schwierige Kletterei in ausgezeichnetem Fels. Bergführer Paul Etter legt um einen festen Felszacken eine Selbstsicherung, bevor er seinen Seilkameraden nachnimmt. Eine saubere Sicherungstechnik sollte für den Bergsteiger, der sich an schwierige Touren wagt, selbstverständlich sein. Mancher Bergsteiger verdankt einer guten Sicherung sein Leben, und manches Unglück ist auf Nachlässigkeit beim Sichern zurückzuführen. Wo solche Zacken fehlen, muß die Sicherung mit Hilfe von Felshaken geschaffen werden.
Vom Gipfel des Rosenlauistocks kann die Besteigung in mittelschwierigem Fels zum Gipfel der Tannenspitze [2255 m] fortgesetzt werden. Eindrücklich ist während der ganzen Kletterei der Tiefblick ins Haslital zur Linken und auf den Rosenlauigletscher zur Rechten. Im Hintergrund Wellhorn [3191 m] und Wetterhorn [3701 m].

Linke Seite
Beim Abseilen vom Großen Simelistock [2482 m] zum Simelisattel genießt der Kletterer einen prächtigen Tiefblick ins Ochsental, jenen wildromantischen Felsenkessel, um den herum halbkreisförmig die schönsten Engelhorngipfel angeordnet sind. Gegenüber schießt in einer einzigen Plattenflucht die 700 Meter hohe Ostwand des Kingspitz [2621 m] empor, die immer noch eine der großzügigsten Engelhornklettereien ist. Die direkte Route wurde am 26. September 1938 vom Grindelwaldner Führer Hermann Steuri mit Fräulein Mausy Lüthy und Hans Haidegger mit einem Minimum an technischen Hilfsmitteln begangen.

Rechte Seite
Auf dem Weg zum Einstieg der Kingspitz-Nordostwand im Ochsental. An einem Junimorgen ist um halb sechs Uhr der Gipfelaufbau des Kingspitz bereits von der Sonne vergoldet.

Weggenossen des Bergsteigers bis in die höchsten Höhen des Hochgebirges sind die Alpendohlen [Pyrrhocorax graculus graculus], auch Schneekrähen geheißen.
Wie die Möwe zum See, gehört die gesellige Dohle zu den Türmen und Graten der Berge. Ihre Flugkünste beeindrucken immer wieder den Bergsteiger, die Eleganz ihrer Bewegungen steht im Gegensatz zu seinem Krampf.
Der lebhafte, kluge und gelehrige Vogel frißt, wie alle Rabenarten, alles Genießbare. Hauptnahrung sind aber die Insekten. Er nistet in den Spalten und Höhlen der unzugänglichsten Felswände. Trotz der weiten Verbreitung des Vogels weiß man über seine Brutbiologie wenig.

Bild links: In der Kingspitz-Nordostwand. Über harten Schnee und plattige Felsstufen wird der Einstieg, der Beginn der schwierigen Kletterei, erreicht. Bergführer Paul Etter, der sich hier für den Aufstieg rüstet, hat zum Schutz gegen Steinschlag einen Kletterhelm aufgesetzt. Diese Kletterhelme, die auch bei einem Sturz ins Seil Schutz bieten, haben sich in den letzten Jahren stark eingebürgert. Trittschlingen, Kletterhammer, ein Sortiment Haken und Karabiner und zwei Seile zu je 40 Meter Länge gehören bei solch schwierigen Routen zur Standardausrüstung. Im Rucksack befinden sich Apotheke, Biwaksack, Reppschnur, Reservekleider, Proviant und Kleinigkeiten.
Bilder rechts: Eine lange, senkrechte Verschneidung bildet den Auftakt der langen Kletterei.

Folgende Seite
Erst im obern Wandteil trifft den Kletterer der erste Sonnenstrahl. Bei diesem Wulst sind die größten Schwierigkeiten der Besteigung überwunden.

Ricco Bianchi

Die Pflanzenwelt unserer Alpen

Die Vegetation in ihrer Gesamtheit und reichen Vielfalt bildet das vielgerühmte und oft besungene Kleid unserer Berge. Schon die alpinen Pioniere waren sich durchaus bewußt, daß die Pflanzenwelt einen wichtigen Teil ihres alpinen Erlebnisses darstellt. Sie haben sich oft auch intensiv mit den Alpenpflanzen beschäftigt – viel intensiver, als wir Bergsteiger von heute es im allgemeinen tun. Das hängt zum Teil allerdings auch damit zusammen, daß die ersten Alpinisten vorwiegend aus Kreisen mit guter Schulbildung stammten, so daß die Entdeckerfreude auf den ersten Wanderungen und Bergfahrten bereits auf vorhandenen Grundlagen aufbauen konnte. Da wurde skizziert und gemalt, aber auch botanisiert und bestimmt, daß es eine Freude war. Und blättert man beispielsweise in den alten Jahrgängen der SAC-Jahrbücher, so ist man immer wieder überrascht, ja beeindruckt über die Begeisterung, die einem aus den Zeilen solcher Berichte entgegensprudelt. Das war allerdings zu einer Zeit, in der der Farbfilm noch nicht erfunden war und auch die Schwarzweißfotografie noch tief in den Kinderschuhen steckte. Wie viel tiefer und unmittelbarer muß damals das Erlebnis der in ihrer intensiven Farbenpracht leuchtenden Alpenpflanzen gewesen sein als heute, in einer Zeit, die uns geradezu überfuttert mit Farbreproduktionen aller Art und Größe!

Das soll kein Vorwurf an die Farbfotografie sein. Er wäre ohnehin sinnlos, da niemand die natürliche Entwicklung einer Technik bremsen kann. Besonders wertvoll wäre es aber, wenn uns die Farbfotografie auch den Weg zur Kenntnis und zum Verständnis der Alpenpflanzen öffnen würde. Und dieser Weg scheint durchaus gegeben: freuen wir uns über eine Sache, so interessieren wir uns auch dafür. Wir möchten nicht nur sehen, sondern auch kennen und verstehen. Das Erlebnis eigener Forscherfreude in den Bergen ist aber immer besonders schön und als Ausgleich zu unserm arbeitsintensiven Berufsleben auch besonders wertvoll.

Der Wald

Wenn wir unsere Bergtour in der klassischen Weise beginnen, also auf Auto und Bergbahn verzichten, so bildet in den meisten Fällen der Aufstieg durch die Wälder den Auftakt unseres Bergerlebnisses. Liegt unser Ausgangspunkt tief, dann gilt es, zunächst die sogenannte Laubwaldstufe zu überwinden. Etwa in einem Gürtel, der zwischen 700 und 1200 Meter ü. M. sich ausbreitet, wächst bei genügender Feuchtigkeit die Buche in ihrer imposanten Baumgestalt. Wir alle erinnern uns an den wunderbar zartgrünen Blätterhimmel, der alljährlich etwa im Mai neu ersteht, oder an die Farbenpracht eines Buchenwaldes an einem goldenen Herbsttag. Meist allerdings sind unsere Buchenwälder nicht rein, sondern untermischt mit Weißtannen. Ihre großen aufrechtstehenden Zapfen der Gipfelregion, umgeben von flachen, glänzend grünen Nadeln, lassen sich sogar besser – entgegen alpiner Tradition – aus der luftigen Höhe einer Schwebebahn als vom schattigen Waldweg aus beobachten.

In den Südalpen ist es gar die Edelkastanie, die unsere nördliche Buche zum Teil vertritt und der Landschaft ein ganz besonderes Gepräge zu geben weiß. Hoffen wir, daß dieser besondere Reiz der südalpinen Landschaft uns auch weiterhin erhalten bleibe. In den feuchten Tobelrunsen des Laubwaldes aber leuchtet im Frühling der Geißbart [Aruncus sylvester] in weißer Pracht und nicken die violett-roten Schmetterlingsblüten der Frühlingsplatterbse [Lathyrus vernus] zwischen duftendem Waldmeister [Asperula odorata].
In den zentralalpinen Föhntälern suchen wir den Laubwald indessen vergebens. Die Niederschlagsmengen sind dort zu gering, als daß er aufkommen könnte. Die warm besonnten und oft auch nährstoffarmen Hänge sind hier besetzt von den Beständen der Waldföhre. Mit ihrem gewaltigen Wurzelwerk kann sie sich vorzüglich verankern, zugleich aber auch die größtmögliche Menge an Bodenfeuchtigkeit an sich ziehen. Auch diese harzigduftenden Föhren oder Kiefern mit leuchtend roter Rinde am jungen Stamm, die oft in Fetzen abschülfert, können uns Bergerinnerung sein, besonders wenn im frühen Frühling noch ein brennend roter Teppich der Erika [Erica carnea] sich unter ihnen ausbreitet. Wir kennen aber – besonders in Graubünden – auch Föhrenwälder, die reich sind an botanischen Kostbarkeiten, wo das Gold des Frauenschuhs [Cypripedium] leuchtet und der Kenner die seltenen Insektenorchideen zu sehen bekommt.
Etwa auf der Höhe von 1200 Meter löst der Fichtengürtel den Buchen-/Weißtannengürtel ab, um die dominierende Stellung bis zirka 1800 Meter zu behaupten. Bestimmt ist die Fichte oder Rottanne der häufigste und wichtigste Baum unseres Alpengebietes. In seiner dunklen Tracht überkleidet er die Hänge und Runsen in dichtem Mantel und erteilt so einer Landschaft das typisch ernste Gepräge [Schwarzwald!]. Allerdings, wo die schweren Schneemassen der Frühlingslawinen im Fichtenwald einbrechen, gibt es Wunden und Risse im Mantel, die nur langsam oder überhaupt nicht heilen.
Im Freistand ist die Fichte oft bis zum Boden dicht beastet und zeigt dann die prächtige Pyramidenform. Schön wirken aber auch die sturmzerzausten Wettertannen der Höhenregion. Im Juni leuchten karminrote Zapfenblüten, die nach erfolgter Bestäubung und Befruchtung schon vor Jahresende die bekannten hängenden Zapfen bilden. Auch der Fichtenwald besitzt eine sehr hübsche Begleitflora. Sie umfaßt neben den blütenlosen Moosen, Flechten, Farnen und Pilzen auch zahlreiche Blütenpflanzen. Besonders auffällig ist etwa die Hochstaudenflur wasserzügiger Hänge mit dem blau leuchtenden Alpen-Milchlattich [Cicerbita alpina], dem gelben Eisenhut [Aconitum lycoctonum] oder den großen weißgelben Dolden der Meisterwurz [Peucedanum ostruthium]. In manchem Alpental wächst aber auch der Riesenkelch der rot leuchtenden Feuerlilie [Lilium bulbiferum] oder der hohe Schaft der eigenartigen Türkenbundlilie [Lilium martagon] in der Fichtenstufe, und am sonnigen Wegrand steht der Fingerhut [Digitalis].

Eigentlich müßte jeder Fichtenwald nach oben übergehen in den Gürtel der Lärchen und Arven. Leider aber sind die wirklich schönen Lärchen-/Arvenwälder im Alpengebiet selten geworden. Intensive Waldnutzung, Weidebetrieb, aber auch andere Ursachen sind dafür verantwortlich. Die herrlichen parkähnlichen Bestände, wie wir sie etwa hoch im Rosegtal oder in den Walliser Seitentälern bewundern, bilden aber wirklich eine alpine Welt für sich. Im zarten Hellgrün leuchtet die Lärche im Sommer, im flammenden Gelb dagegen im Herbst. Die Arve aber im fast düster-dunkeln Nadelkleid bildet dazu den Gegensatz. Lärche und Arve können bizarre Baumformen zeigen, die viele Jahrhunderte überdauern. Der Kenner hat keine Schwierigkeit, die Arve schon auf Distanz zu bestimmen. Meist sind die rundbuschigen Wipfel leicht von den scharfen Spitzen der Fichten oder Föhren zu unterscheiden. Im Laufe von zwei Jahren wachsen aber auch die großen, blaugrauen Zapfen mit den eßbaren Zirbelnüßchen – besondere Leckerbissen für die vielen Waldbewohner. Machen Fichte und Arve ein Alpental ernst bis düster, so verleiht ihm der Lärchenbestand einen hellen, freundlichen Charakter. Und hell und freundlich ist auch der Unterwuchs, aufgebaut aus der zusammenhängenden Rasenfläche, die immer wieder durchbrochen wird von den leuchtenden Farben zahlloser Blüten. Gelbe und rote Kleearten, orangeroter Goldpippau [Crepis aurea], die vielen Habichtskräuter [Hieracium] bilden mit dem Blau der Veilchen [Viola calcarata] und des Alpen-Vergißmeinnichts [Myosotis alpestris] einen Teppich von einzigartiger Musterung, wenn wir ihn nur richtig betrachten. Im dichteren Bestand dagegen schlingt sich die Alpenrebe [Clematis alpina] als einzige alpine Liane elegant übers Geäst und läßt ihre blaugrauen Blütenglöcklein pendeln, oder die Ausläufer des zierlichen Moosglöckchens [Linnaea borealis] überziehen den Moosrasen, um immer wieder am gegabelten Stengel zwei rötlich-weiße Blütchen zu entwickeln. Weit über die 2000-Meter-Grenze steigt der Lärchen-/Arvengürtel in den Südalpen, um dann langsam von den größern Sträuchern abgelöst zu werden. Allerdings, wie wir schon betonten, nicht überall ist er entwickelt. Auf weite Gebiete in den Nordalpen formt die Fichte die Waldgrenze. Oft auch bildet ein dichter Legföhrenbestand im Anschluß an den Fichtengürtel die Verbindung zur eigentlichen alpinen Stufe. In den Westalpen, wie etwa im Gebiet der Dauphiné, sind es gar die Vertreter des Laubwaldes, die die Nadelwaldstufen besetzen, und hübsche Birkenbestände markieren dort die Waldgrenze. Das ist freilich auch bei uns in den Nordalpen möglich. Da und dort bilden Birke [Betula pendula] oder Grünerle [Alnus viridis] die letzten zusammenhängenden Gehölze und steigen bis über 2000 Meter auf. Und immer wieder finden wir vereinzelte Laubholzvertreter auch im Nadelwald selbst, wie etwa die weißblühende Traubenkirsche [Prunus padus], die Zitterpappel [Populus tremula] oder den fruchtbeladenen Vogelbeerbaum [Sorbus aucuparia].
Mit dem ausklingenden Nadelwald betreten wir in der Regel den Gürtel der größern Sträucher. Wir alle kennen die ausgedehnten Alpenrosenfelder der rostblättri-

gen Alpenrose [Rhododendron ferrugineum] im Gebiete der Nordalpen. Sie entwickeln sich oft so kräftig, daß das Weideland sich alljährlich reduziert, die Sträucher also, alpwirtschaftlich gesehen, zu den schlimmsten Unkräutern gehören. In solchen Gebieten ist es durchaus erlaubt und erwünscht, wenn sich die Bergsteiger reichlich mit Alpenrosen eindecken, um im Tal damit Freude zu machen. Damit soll aber beileibe nichts gegen die einzigartige Pracht eines blühenden Alpenrosenfeldes gesagt sein. In den Südalpen, wo die Einstrahlung bedeutend stärker und die Wasserreserven im Boden oft geringer sind, fühlt sich die Alpenrose weniger zu Hause. An ihre Stelle tritt dort der Zwergwacholder mit seinen immer abwehrbereiten Nadeln. Er erträgt die Trockenheit besser, spielt eine ähnliche Rolle als Unkraut der Alpweide und steigt sehr oft in große Höhen. Die bekannte Wacholderbeere ist eigentlich ein Beerenzapfen, der aus drei Fruchtschuppen entsteht. Sie sind erst grün, verwachsen dann und werden schließlich blau. Die ganze Entwicklung dauert drei Jahre, und die drei Verwachsungsnähte sind auch an der reifen «Beere» noch gut erkenntlich. Die Sträucher sind übrigens meist zweihäusig, das heißt, der weibliche Strauch trägt nur «Beeren», der männliche nur Staubblüten. Seltener, besonders aber an den warmen Hängen der Walliser Täler recht häufig, ist der Sadebusch [Juniperus sabina]. Er ist giftig, und die blauschwarzen «Beeren» sind etwa erbsengroß.
Noch viel ließe sich sagen über den Wald unserer Berge, über seinen Aufbau und über seine Bedeutung. Wohl in allen Berggebieten hat man schon früh erkannt, welch zentrale Stellung der Wald in bezug auf alles Leben im Alpengebiet besitzt. Die Stichworte Windschutz, Rüfenschutz, Lawinenschutz, Wasserhaushalt, Holzwirtschaft mögen hier genügen. Eine kluge Gesetzgebung und Regelung der Forstwirtschaft bildete besonders in unserm Land die Grundlage für die allgemein gute Entwicklung unserer Wälder. Hegen und pflegen wir insbesondere den Gebirgswald – er bildet den schönsten Schmuck und den größten Reichtum unserer Alpentäler!

Pflanzen und Bodenunterlage

Je mehr wir uns von den dicht besiedelten und mit einer zusammenhängenden Vegetationsdecke bekleideten Gebieten unserer Alpentäler nach der Höhe hin entfernen, um so auffälliger tritt die Bodenunterlage in Erscheinung. In der Waldregion stoßen wir verhältnismäßig selten auf Stellen, an welchen die Gesteinsunterlage nackt zutage tritt. In der eigentlichen alpinen Region dagegen häufen sich solche Aufschlüsse mit zunehmender Höhe mehr und mehr. Nun läßt sich auch die Verschiedenartigkeit des Gesteins in den einzelnen Bergregionen vergleichen, und der aufmerksame Beobachter wird bald erkennen, daß bestimmte Beziehungen bestehen müssen zwischen der Vegetationsdecke und den verschiedenen Gesteins-

1 Türkenbund
Lilium martagon
2 Frauenschuh
Cypripedium calceolus
3 Feuerlilie
Lilium bulbiferum
4 Alpenaster
Aster alpinus
5 Silberwurz
Dryas octopetala
6 Spinnwebige Hauswurz
Sempervivum archanoi-
deum
7 Punktierter Enzian
Gentiana punctata
8 Bayrischer Enzian
Gentiana bavarica
9 Kriechende Nelkenwurz
Sieversia reptans
10 Vogelbeerbaum
Sorbus aucuparia
11 Gegenblättriger Steinbrech
Saxifraga oppositifolia
12 Alpenakelei
Aquilegia alpina
13 Edelweiß
Leontopodium alpinum

1

2

3

4

5

6

7

8

9

10

11

12

13

unterlagen. Da die Pflanze ja einen großen Teil ihrer Nahrung aus dem Boden bezieht, müßte es eigentlich viel mehr überraschen, wenn keine solchen Beziehungen bestünden. Aber abgesehen von den verschiedenen Gesteinsarten ist sehr oft schon die Ausbildung der Bodenoberfläche bestimmend für den Typus verschiedener Alpenpflanzen. Jede Pflanze versucht sich möglichst gut in der Bodenunterlage zu verankern. Für Pflanzenarten, die beispielsweise in einer unruhigen Schutthalde wurzeln, ist diese Verankerung viel schwieriger als für die Gewächse des ruhigen, tiefgründigen Bodens. Sie bilden lange, verzweigte Wurzeln und benützen jede Möglichkeit, ein Maximum an Halt zu erreichen. Aber auch etwa ein Legföhrenbestand an einer steilen Tobelrunse zeigt eine außerordentlich kräftige Bewurzelung und trägt dadurch nicht wenig zu einer Sicherung des unruhigen Hanges bei.
Wesentlich schwieriger sind die Beziehungen zwischen dem Chemismus des Bodens und den einzelnen Pflanzenarten. Viele Probleme sind in dieser Hinsicht noch gar nicht gelöst, über andere wissen wir erst ungenügend Bescheid. Wir wollen nun versuchen, die wichtigsten Beziehungen für unser Alpengebiet in starker Vereinfachung darzustellen. Nach dem Säuregrad lassen sich folgende Böden unterscheiden:

1. Saure Böden pH ca. 4 –6,8
2. Neutrale Böden pH ca. 6,8–7,2
3. Basische Böden pH ca. 7,2–9,5

[Der sog. pH-Wert bedeutet den negativen Zehnerlogarithmus der H^+-Ionenkonzentration, also pH 7 = 10^{-7} Mol H^+/liter.]
Entsprechend unterscheiden wir auch Pflanzen und Pflanzengruppen, die auf bestimmte Böden ausgerichtet sind. Also:

1. Säureliebende = azidiphile Pflanzen
2. Neutrale = neutrophile Pflanzen
3. Baseliebende = basiphile Pflanzen
4. Unabhängige = indifferente Pflanzen [in allen pH-Bereichen]

Saure Böden bilden sich zum Beispiel auf einer Gesteinsunterlage von Granit und Gneis, aber auch bei starker Durchnässung oder Anlagerung von Rohhumus. So sind zum Beispiel die Bestände des Lärchen-/Arvengürtels mit Alpenrosen meist stark säureliebend, weil die abfallenden Nadeln und Blätter bei den hohen Niederschlagsmengen dieser Region nur sehr langsam abgebaut werden können. Basische Böden entstehen bei der Verwitterung von Kalk und Dolomit, zum Teil auch von Serpentin und Schieferarten. Da der Serpentin sehr schlecht verwittert, kann sich auf solcher Unterlage der Boden nur in langen Zeiträumen bilden, und entsprechend dürftig ist daher auch die Pflanzendecke. Die Bezeichnung Totalp für das ausgedehnte Serpentingebiet bei Davos trägt zum Beispiel diesen Umständen Rechnung. Sehr interessant in bezug auf ihre Flora sind schließlich auch die stickstoff-

reichen Böden. Die sogenannte nitrophile Flora auf den überdüngten Böden bei Alphütten und Viehlagerplätzen ist zwar alpwirtschaftlich wertlos [Lägerflora], aber meist so imposant, daß sie zum wesentlichen Bestandteil im Bild unserer Erinnerung an die alpine Viehweide wird. Dicht stehen die meterhohen leuchtend dunkelblauen Eisenhüte [Aconitum napellus] neben dem gelben Alpenkreuzkraut [Senecio alpinus] und dem Alpenampfer [Rumex alpinus]. Dringen wir einmal ein in den dichten Bestand dieser mächtigen Stauden, so machen wir meist auch Bekanntschaft mit der Brennessel [Urtica dioica] oder mit der stachligen Kratzdistel [Cirsium spinosissimum]. Auch diese beiden wehrhaften Vertreter fühlen sich hier offenbar wohl, während der Gute Heinrich, der Wildmannlispinat [Chenopodium bonus-henricus], sich mehr in der Nähe des Gemäuers der Hütten behauptet. Machen wir aber auf unserer letzten Frühlingsskitour bei den eben schneefrei gewordenen Alphütten Schluß der Abfahrt, so ist von der ganzen Herrlichkeit natürlich nichts zu sehen. Höchstens erinnern ein paar verdorrte und ausgelaugte Stengel an die verschwundene Sommerpracht. Dafür tritt nun aber als Vertreter der Lägerflora der sehr hübsche kleine Gelbstern [Gagea fistulosa] in Erscheinung. Zu Tausenden leuchten die Lilienblüten in starkem Gold und schaffen so, zusammen mit dem ersten zarten Grün des Rasens, einen herrlichen Übergang vom winterlichen Schneegelände zum alpinen Frühling.
Ob die Alpenflora der basischen Kalk- und Dolomitböden oder die der sauren kristallinen Unterlage schöner und reicher sei, wollen wir hier nicht diskutieren. Vielleicht läßt sich diese Frage in so allgemeiner Form auch gar nicht angehen, da ja in jedem Gebiet neben den Einflüssen des Bodens noch eine ganze Reihe anderer Faktoren maßgebend beteiligt sind, wie Exposition, Niederschläge, Bodenfeuchtigkeit, Temperatur usw. Eine Wanderung im Frühsommer in den Dolomiten oder in den Julischen Alpen vermittelt herrliche und unvergeßliche Eindrücke dieser Pflanzenwelt. In hellem Rot leuchten dann die großen Polster des Dolomiten-Fingerkrautes [Potentilla nitida], und die kahlen Schutthalden sind oft quadratmeterweise überwachsen vom gelben Alpenmohn [Papaver aurantiacum]. Aus den Felsnischen und von den schmalen Bändern herab aber nickt die Felsenaurikel [Primula auricula], die «aristokratischste» aller Primelarten mit ebenso gelbleuchtender Blüte und unbeschreiblich fein-süßem Duft. Aber auch die Arnikawiese unter dem Lärchenbestand auf dem sauren Boden einer Nordalpenlandschaft wird uns zum unvergeßlichen Eindruck, und für die nachhaltige Duftuntermalung sorgt der rote Alpenklee. Wer sich für die typischen Vertreter der säureliebenden und basenliebenden Flora interessiert, findet solche Zusammenstellungen in jedem modernen Alpenflorabuch. Es ist auch sehr reizvoll, den Bodenproblemen etwas nachzugehen. Immer wieder stößt man auf Abweichungen oder Ausnahmen, es gibt Fragen in Hülle und Fülle, die noch der Lösung harren.
Von «ökologisch vikariierenden» Arten spricht man dann, wenn nahe Verwandte

einander auf Grund ihrer Bodenansprüche auf demselben Grund gegenseitig ausschließen. So gedeiht zum Beispiel die rostrote Alpenrose nur auf sauren Böden, die behaarte Alpenrose [Steinrose] dagegen nur auf basischen. Ähnlich liegen die Verhältnisse für die behaarte Primel [Primula hirsuta] und die Felsenaurikel [Primula auricula]. Wo nun basische und saure Böden zusammenstoßen, kann es eventuell zu Bastardierungen kommen. Solche Kreuzungen oder Bastarde sind in bezug auf verschiedene Merkmale Zwischenformen, also Übergänge der beiden Arten. Der Bastard der beiden Alpenrosen heißt Rhododendron intermedium, der der beiden Primelarten Primula pubescens. Im Gegensatz zu den meisten Alpenpflanzen soll sich Primula pubescens leicht in der Ebene kultivieren lassen und aus diesem Grunde zur Ausgangsform der zahlreichen Gartenprimeln geworden sein.

Pflanzengesellschaften

Auf unsern alpinen Streifzügen können wir immer wieder feststellen, daß das Zusammenleben der verschiedenen Pflanzenarten nicht dem Zufall überlassen bleibt. An ähnlichen Standorten, also Stellen mit übereinstimmenden Boden- und Klimaverhältnissen und gleicher Höhenlage, finden wir immer wieder sehr ähnliche Pflanzengruppen, die hier zusammenleben. Solche Pflanzenbestände mit bestimmter floristischer Zusammensetzung und mehr oder weniger gleichartigen Lebensbedingungen bezeichnet man als Pflanzengesellschaften [s. Braun-Blanquet, 1928]. Die Lehre von den Pflanzengesellschaften ist in den vergangenen dreißig Jahren zu einer besondern Zweigwissenschaft der Botanik geworden. Sie wurde insbesondere im Gebiet der Alpen entwickelt und in hervorragender Weise gefördert. Heute lassen sich bereits auch die gewonnenen Erkenntnisse für die Praxis verwerten und in der Landwirtschaft und Forstwirtschaft anwenden. Damit wurde die Soziologie auch aus dem Alpengebiet hinausgetragen in die Flachländer Europas. Das grundlegende Werk «Pflanzensoziologie» des heute über 80jährigen Bündners Prof. J. Braun-Blanquet, Montpellier/Chur, ist bereits in viele Sprachen übersetzt worden.
Kehren wir zur Erklärung einiger weniger Grundbegriffe in den früher geschilderten alpinen Lärchen-/Arvengürtel unseres Waldes zurück. Meist werden wir in den lockern, vom Höhenlicht durchfluteten Beständen auch die rostblättrige Alpenrose [Rhododendron ferrugineum] vorfinden. Die vorhandenen Steinblöcke sind dicht mit verschiedenen Moosarten bedeckt, und über den Moosrasen sendet die nordische Linäa, das Moosglöcklein [Linnaea borealis], ihre meterlangen Ausläufer, immer wieder in Abständen einen Gabelsproß mit zwei zierlichen Blütenglöcklein aufrichtend. Aber auch die Heidelbeere [Vaccinium myrtillus] fühlt sich hier auf der sauren Bodenunterlage recht wohl. Die genannten Pflanzen bilden, zusammen mit andern Arten, die Gesellschaft oder Assoziation des Alpenrosen-Lärchen-/Arvenwaldes. Auf dem basischen Boden eines Kalk- oder Dolomitgebietes tritt an seine

Stelle der Erika-Bergföhrenwald. Als typische Begleitpflanzen finden wir nun oft die Alpenbärentraube [Arctous alpinus] mit den im Herbst leuchtendroten Blättern, das Steinrösel [Daphne striata] mit seinem Fliederduft oder die niedrige Segge [Carex humilis]. Die rostblättrige Alpenrose des Arvenwaldes aber wird hier vertreten durch die Steinrose.

Vielleicht noch auffälliger erscheinen uns die Pflanzengesellschaften im eigentlichen alpinen Gebiet oberhalb der Waldgrenze. Die letzte zusammenhängende Rasenfläche der hohen Alpenregion auf sauren Böden wird gebildet von der Krummsegge [Carex curvula]. Dieses sehr leicht zu kennende Scheingras ist charakterisiert durch seine in der Trockenheit gerollten und verbogenen Blätter. Ein solcher Bestand [Curvuletum] nimmt gegen Herbst eine typische gelb-rötlich-braune Färbung an, so daß man schon auf weite Distanz die saure Bodenunterlage bestimmen kann. In der Krummseggengesellschaft finden wir an auffälligen Arten etwa die Schwefelanemone, die Pelzanemone, den punktierten Enzian, das Goldfingerkraut [Potentilla aurea], das graue Kreuzkraut [Senecio incanus] sowie den Schweizer Löwenzahn [Leontodon helveticus]. Da die Krummsegge auch als Erstbesiedler auf den sauren Böden unserer Alpen auftritt, bezeichnet man sie als Pionierart, und ihr Rasen wird zum Pionierrasen. Solche Pioniere verbessern im Laufe der Zeit die Wachstumsbedingungen, da ihre absterbenden Pflanzenteile Humus bilden. So können dann auch anspruchsvollere Arten Fuß fassen, und der Bestand ändert sich langsam.

Das Gegenstück zum Krummseggenrasen der sauren Böden bildet der Polsterseggenbestand auf Dolomit oder Kalk. Auch die Polstersegge [Carex firma] ist eine Scheingrasart. Sie bildet mit zunehmendem Alter typische Flachpolster, die allerdings nie sehr tief wurzeln und daher oft von der Unterlage weggerissen werden. Die grasähnlichen Blätter sind eher starr und dunkelgrün. Die Gesellschaft der Polstersegge findet sich in weiter Verbreitung bis in Höhenlagen von zirka 2800 Meter und gedeiht auch unter verschiedensten Klimabedingungen und Expositionen. Eine typische Charakterart des Polsterseggenrasens [Firmetum] ist die allerdings seltene Zwergorchis [Chamorchis alpina]. Gelegentlich findet sich das Edelweiß in der Gesellschaft der Polstersegge zusammen mit der Alpenaster oder der Clusius Enzian mit dem Frühlingsenzian. Sehr häufig tritt der hübsche Zwergstrauch der Silberwurz [Dryas octopetala] als Pionier des Polsterseggenrasens auf, oder die stumpfblättrige Weide läßt das Netzwerk ihrer Stämmchen und Ästchen über den Boden kriechen.

Und noch eine weitere, besonders interessante Pflanzengesellschaft unserer Alpen sei hier ganz kurz besprochen: die sogenannte Schneetälchengesellschaft. Als Schneetälchen bezeichnet man seit Oswald Heer [1836] wenig geneigte Flächen oder muldenartige Vertiefungen der hohen Bergregion, die ständig vom Schmelzwasser der benachbarten Schneeregion getränkt werden. Die Vegetationszeit solcher Schneetälchengesellschaften ist besonders kurz und dauert oft nicht mehr als drei Monate. Die Pflanzen müssen sich also besonders beeilen, ihre Blüh- und Fruchttätigkeit in der kurzen Zeit abwickeln zu können. Allerdings sind die Schneetälchenböden oft recht reich an Mineralien und Humus, und die Wasserversorgung ist auch bei oberflächlicher Austrocknung immer gewährleistet. Es ist aber verständlich, daß einjährige Pflanzen unter solch extremen Bedingungen nicht aufkommen können. Dem Alpenwanderer erscheinen die Schneetälchen meist als dunkelgrün bis braunschwarz gefärbte Flächen von kleiner bis recht großer Ausdehnung. Für das Braunschwarz ist eine Haarmoosart [Polytrichum] verantwortlich, für das Grün sehr oft die krautige Weide [Salix herbacea] oder eine Art des Frauenmantels [Alchemilla pentaphylla]. Die Krautweide verbirgt ihre Stämmchen und Äste vollständig im Boden und sendet nur die kleinen dunkelgrünen, oft fast kreisrunden Blättchen an die Oberfläche – eine extreme Anpassung an die Standortsverhältnisse. Übrigens kommt die Pflanze auch im hohen Norden vor und wurde dort von Linné als «Kleinster Baum der Welt» bezeichnet. Recht auffällig auf der dunklen Moosunterlage leuchten oft die weißen Sternblütchen des Zweiblütigen Sandkrautes [Arenaria biflora], und sicher allen Alpinisten bekannt sind die Lilaglöcklein der Kleinen Soldanelle [Soldanella pusilla]. Die Randgebiete der Schneetälchen sind oft fast teppichartig bewachsen von der Ganzblättrigen Primel [Primula integrifolia] mit ihrer auffällig roten Blüte. Wir haben sie oft auf Kalk- und Kristallinböden angetroffen. Die meisten Schneetälchenarten sind aber entweder Kalkzeiger oder Säurezeiger, und entsprechend unterscheidet man auch die verschiedenen Gesellschaften.

Extrem sind nun freilich auch die Standortsbedingungen für die Gesellschaften auf Fels, etwa für die des Schweizer Mannsschildes [Androsace helvetica]. Diese Art bildet auf Kalk oder Dolomitfelsen oft sehr große, halbkugelige und feste Polster, die 50 bis 60 Jahre alt werden können. Die Polsterpflanzen stellen wohl allgemein eines der auffälligsten Beispiele von Anpassung in unserer Alpenflora an die Lebensbedingungen der Höhenregion dar. Das Polster des Schweizer Mannsschildes liegt sehr oft der nackten Felsunterlage auf. Die meist sehr kräftige Hauptwurzel verankert sich tief in einer Felsspalte. Vom Wurzelkopf aus strahlen dichtgedrängte Triebe nach allen Seiten. Je nach Unterlage kann die Rundung des Polsters auch wesentlich über die Halbkugelform hinausgehen, und bei vollständiger Ablösung wurden schon Vollkugelpolster beobachtet. Allerdings sind in einer derartigen Bildung nur die äußersten Blättchen lebensfähig. Die innern müssen infolge Lichtmangels bald absterben. Sie erhalten sich aber trotzdem am Stengel und bilden bis ins Zentrum der Pflanze kleine «Säulchen» aus Humusmaterial. Außer diesem «körpereigenen Humus» sammelt sich in den Hohlräumen des Polsters noch weitere Füllmasse organischer und anorganischer Herkunft an, so daß die ganze Polsterbildung mit der Zeit eine außerordentliche Festigkeit erhält. Die Zentralteile lassen sich in ihrer Fähigkeit der Wasseraufnahme und -speicherung geradezu mit

einem Schwamm vergleichen. Und es ist eigentlich nicht verwunderlich, daß die Pflanze auch tatsächlich richtige Saugwurzeln in ihr selbstgebildetes Nährbett absetzt, die Wasser und Nährstoffe an die lebende Pflanze abgeben. Es ist dies eine Anpassungserscheinung eines Besiedlers auf nährstoffarmer Unterlage, die unsere höchste Bewunderung verdient: Die Pflanze der unwirtlichen Felsregion mit extremen Temperaturschwankungen benützt ihre abgestorbenen Humusteile zur Lösung ihrer Hauptprobleme, der Wasserversorgung und Ernährung.
Zur Blütezeit ist die Polsteroberfläche oft dicht bedeckt mit leuchtendweißen Blütchen, und es ist dann, um in der farbigen Sprache von Altmeister Schröter zu reden, «eines der ergreifendsten Bilder des felsstarrenden Hochgebirges, wenn uns aus einer Spalte des toten Gesteins ein solcher Miniaturgarten entgegenleuchtet».
Ebenfalls in die Gesellschaft des Schweizer Mannsschildes gehört eine weitere Felspflanze der Kalk- oder Dolomitformation, der bläuliche Steinbrech [Saxifraga caesia]. J. Braun-Blanquet sagt von ihr, daß sie «zu den bestangepaßten, windhärtesten Pflanzen der winterüber schneefreien Windecken, widerstandsfähig gegen Schneegebläse und Schneeschliff», gehört. Und wie sind nun diese besondern Eigenschaften zu erklären? Wir müssen annehmen, daß die Pflanze durch ihre Wurzeln und mit Hilfe von Kohlendioxid reichlich Calciumcarbonat aus der Bodenunterlage auflöst und aufnimmt. Ein großer Teil davon wird durch die winzigen Rosettenblättchen wieder ausgeschieden. Dabei bildet sich ein dünnschichtiger Kalküberzug, der den Blättchen die bläuliche Farbtönung [Name!], aber auch die Widerstandskraft gegen die abrasierende Wirkung des Windes mit Staub- und Eiskristallen gibt. Die Blättchen zeigen überdies fünf bis sieben sogenannte kalkausscheidende Grübchen. Sie erscheinen mit schwacher Vergrößerung als kleine Wärzchen, mit stärkerer Vergrößerung dagegen erkennt man sehr gut die einzelnen ausgeschiedenen Kalkkristalle. Mit etwas verdünnter Salzsäure schäumen sie auf und verschwinden rasch.
Der bläuliche Steinbrech ist nicht die einzige Steinbrechart unserer Berge, welche diese merkwürdige Kalkausscheidung zeigt. Wie immer in solchen Fällen, werden wir dabei wieder auf das Problem der Anpassungserscheinungen hingewiesen, das ja sehr oft diskutiert wurde, aber auch heute noch nicht als gelöst erscheint. Betrachten wir es also vorläufig einmal einfach als ein Wunder – wie so vieles andere in unserer herrlichen Alpenflora –, und passen wir auf, daß wir im Atomzeitalter dieses «Sich-Verwundern über die kleinen Wunder» nicht ganz verlieren.

Ricco Bianchi

Die Tierwelt der Alpen

Bezeichneten wir die Pflanzenwelt der Alpen als das farbige Kleid der Berge, so erscheinen uns seine flinken tierischen Bewohner immer wieder als besonders reizvolle Ausdrucksformen des eigentlich Lebendigen der Höhenregion. Das mag zum Teil damit zusammenhängen, daß der menschliche Einfluß auf die Tierwelt hier wesentlich geringer ist als im Tiefland, das Tierleben uns hier also ungestörter und natürlicher begegnet als sonstwo in unserm hochzivilisierten Lande. So ist es wohl verständlich, daß jeder Alpenwanderer, der sich noch etwelcher Bindungen zu Natur und Landschaft erfreuen darf, in den Alpentieren besonders interessante und schöne Beobachtungsobjekte erblickt. Aber auch der Gelegenheitswanderer aus der Stadt zeigt sich im allgemeinen immer noch – oder vielleicht heute wieder mehr – beeindruckt vom Tierleben in den Bergen. Wieviel Begeisterung kann die Begegnung mit einem großgehörnten Steinbock, mit einem rasch entfliehenden Gemsrudel oder auch nur mit einigen spielenden Murmeltieren auslösen! Freilich, vielleicht ist es auch der Reiz des Seltenen, der dabei mitspielt. Wären unsere Alpentiere häufiger zu sehen und weniger scheu, so würde ihr Anblick uns zur Gewohnheit und damit zum Alltäglichen. Und tatsächlich waren sie einmal viel häufiger und weniger scheu! Noch vor einigen hundert Jahren gehörten Bär, Wolf, Luchs, Wildkatze und Biber zu den verbreiteten Tierarten unserer Alpentäler. Und versetzen wir uns gar zurück ins voreiszeitliche Tertiär, so gelangen wir in einen geradezu paradiesischen Reichtum der Tierformen im Alpen- und Voralpenland. Die nachfolgenden vier Eiszeiten bedeuteten dann allerdings eine wohl fast vollständige Auslöschung des alpinen Tierlebens. Die Tiere waren gezwungen, in die eisfreie Zone der Tiefländer abzuwandern. Da sich in solchen Gebieten auch die Tierarten, welche vor der nördlichen Eisdecke südwärts wanderten, einfanden, mag in diesen relativ schmalen eisfreien Steppengebieten zeitweise ein sehr reiches Tierleben geherrscht haben. Mit dem Rückgang des Eises wurden das Alpenvorland und schließlich auch die Alpentäler wieder besiedelt – jetzt aber nicht nur allein durch die ursprünglichen alpinen Arten, sondern auch durch die Einwanderer aus dem Süden und Osten, soweit sie sich an die alpinen Verhältnisse anpassen konnten. So bestimmte die geologische Geschichte weitgehend die Entwicklung unserer alpinen Fauna. Über die Tierarten der letzten Zwischeneiszeit in den Schweizer Alpen wissen wir Bescheid durch die Knochenfunde in den verschiedenen Höhlen, insbesondere in der Wildkirchlihöhle am Säntis und im Drachenloch bei Vättis. Neben dem Höhlenbären als Hauptvertreter lebten auch der Höhlenlöwe, der Höhlenpanther und der Alpenwolf im Säntisgebiet. Im höher gelegenen Drachenloch dagegen wurden wohl Bären, Wolf und Steinbock, nicht aber die großen Katzenarten nachgewiesen. Aber auch unsere heutigen Alpentiere waren bereits vorhanden.

Und nochmals bewegten sich die nördlichen Eismassen unaufhaltsam südwärts, und die alpinen Gletscher stießen aus ihren Höhenzonen hinab in die Täler. Sicher konnten nur wenige Tierarten und Pflanzen in einzelnen eisfrei gebliebenen Gebieten innerhalb der Alpen überleben. Die große Mehrzahl der Lebewesen mußte abwandern und wieder in der eisfreien Voralpenzone Zuflucht suchen. Und als der wieder einsetzende Temperaturanstieg die mächtigen Eisdecken zum Schmelzen brachte, öffneten sich für Tiere und Pflanzen zwei Wege: einerseits der in die langsam eisfrei werdenden Alpentäler, anderseits der nach dem Norden unseres Kontinents. Verschiedene Tierarten schlugen tatsächlich beide Wege ein. Und das ist der Grund, daß wir zum Beispiel Ringamsel, Schneehuhn und Schneehase als sogenannte Eiszeitrelikte – um nur einige wenige Beispiele zu nennen – sowohl in den Alpen wie auch im hohen Norden antreffen.

Und nun möchten wir das Tierleben unserer Berge noch in ein paar wenigen Beispielen etwas schildern. Wir haben vorher die Gletscher als vernichtende Kräfte der Tier- und Pflanzenwelt beschrieben. Und doch weiß jeder Bergsteiger, daß ein Gletscher in der Nachmittagssonne oft von einer Unzahl von Kleinlebewesen bevölkert ist. Neben Schmetterlingen, Käferarten, Fliegen wandern sogar langbeinige Spinnen über das Eis und scheinen sich dabei sehr wohl zu fühlen. Nun, im allgemeinen sind diese Gliederfüßler allerdings keine echten Gletscherbewohner, und nur die sehr intensive Strahlungswärme ermöglicht ihnen hier das Leben. Verschwindet die Sonne, so erfolgt auch sofort die starke Abkühlung der Luft und damit die Erstarrung dieser wechselwarmen Kleinlebewesen. Nur wenige Formen sind so eingerichtet, daß sie die tödliche Kälte des nächtlichen Gletschers überstehen können. Einen Vertreter aber kennen wohl alle Bergsteiger, die zur Osterzeit mit ihren Ski über die Gletscher hinaufsteigen: den Gletscherfloh [Isotoma saltans]. Er ist vermutlich das einzige Tier, welches sein ganzes Leben in Firn und Eis verbringt. Er ist zirka 2,5 Millimeter lang, schwarz behaart und bevölkert besonders etwa im Mai unsere Gletscher oft in ungeheuren Mengen. Bücken wir uns einmal zu einer genauern Besichtigung, so sehen wir, daß das winzige «Klümpchen Leben» imstande ist, gewaltige Sprünge auszuführen. Das ist auch der Grund für seine systematische Einteilung bei den Urinsekten und Springschwänzen. Am Bauch des Tierchens findet man bei genauer Untersuchung ein gabelförmiges Anhängsel, dessen Äste als «Springstangen» benützt werden. Sie werden nach vorn eingesetzt und plötzlich wieder gestreckt, so daß der Körper dadurch in die Höhe geschleudert wird. Vor der grimmigen Kälte schützt sich unser Floh [er ist zwar kein echter Floh im Sinne der Systematik] durch sein dichtes schwarzes Haarkleid. Es hält einen isolierenden Luftmantel um den winzigen Körper herum und beschränkt so die Wärmeabgabe des Körpers auf ein Minimum. Trotzdem ist er imstande, eine Unterkühlung des Körpers schadlos zu ertragen – vielleicht eine Folge der sehr geringen Körperoberfläche.

Die Frage nach der Ernährung unseres Gletscherbewohners muß wohl dahin beantwortet werden, daß die mit dem Wind anfliegenden Sporen, Pollen und eventuell auch weitere organische Partikeln aufgenommen werden. Vielleicht steht im Früh-

ling, wenn sich die verschiedenen Formen von Schneealgen entwickeln – und das ist ja die Zeit der ungeheuren Vermehrung des Gletscherflohs –, ein besonders reich gedeckter Tisch zu Verfügung. Auf alle Fälle ist die Anpassung dieses winzigen Tierchens an einen extrem lebensfeindlichen Lebensraum derart vollkommen, daß es sehr schwierig ist, sich diese gewaltige Lebensleistung zu erklären. Wir können sie nur bewundern und dabei die in unserm technisierten Zeitalter «etwas vergessene Ehrfurcht vor dem Leben» wieder einmal voll empfinden.
Anpassungserscheinungen können wir allerdings im Kreise unserer Alpentiere noch viele bewundern. Wohl jeder Bergsteiger hat auf seinen Wanderungen schon den schwarzen, rundschwänzigen Alpensalamander beobachtet. Er zeigt sich fast nur bei Regenwetter, dann aber oft recht häufig, sei es auf Waldwegen oder Alpweiden bis in Höhen von 3000 Meter. Mit seinen vier kurzen Beinen bewegt er sich nur sehr langsam, so daß man immer Gelegenheit zu einer genauern Betrachtung findet. Übrigens sehen ihn die Bergsteiger nicht besonders gern – zeigt er sich doch nur bei sehr feuchter Luft, um damit die Rolle des Schlechtwetterpropheten zu spielen. Auch die Bezeichnungen Wasserpetsch, Rägamoli der Schweizerdialekte spielen darauf an. Dieser Alpensalamander sollte nun, wie es sich für ein richtiges Amphibium gehört, seine Eier im Wasser ablegen, damit sie sich zu kleinen schwimmenden Larven entwickeln können, wie wir sie vom Frosch her kennen. [Amphibien sind «Doppelleber», also Wasser- und Landtiere zugleich; amphi = beide, bios = Leben.] Das tut er aber nicht. Die zirka dreißig Eier werden fast ein Jahr lang im weiblichen Körper gehalten. Nur zwei davon entwickeln sich zu Larven, eventuell werden auch nur diese zwei befruchtet. Sie wachsen im Mutterkörper heran und ernähren sich von den restlichen Eiern, die mit der Zeit zu einer Eiweißmasse zusammenfließen. Zur Zeit der Geburt sind die jungen Salamander bereits etwa fünf Zentimeter lang. Sie durchlaufen also die ganze Larvenentwicklung im Schutze des mütterlichen Körpers – sind also gar nicht mehr an das Wasser gebunden. Sie sind dabei vor den vielen Gefahren des Larvenlebens im Wasser geschützt. Auch das Austrocknen der kleinen Tümpel im Laufe einer Schönwetterperiode, eine Vernichtung des oft tausendfachen Lebens bewirkend, stört den Salamander der Alpen nicht. Obwohl der Nachwuchs auf zwei Jungtiere beschränkt ist und die Weibchen nicht jedes Jahr trächtig werden, gibt es recht viele Alpensalamander. Offenbar sind die Jungtiere zur Zeit der Geburt bereits so gut entwickelt, daß sie die Härten des Lebens im Gebirge gut zu überstehen vermögen. Als eine besondere Anpassungserscheinung wird oft auch die schwarze Körperfarbe unseres Salamanders [wie auch anderer Alpentiere] gedeutet, indem das Schwarz zu einer bessern Aufnahme und Ausnützung der Wärmestrahlung verhelfen soll.
Besonders interessant ist, daß der dem Alpensalamander sehr nahe verwandte Feuersalamander der tieferen Region sich noch als normaler Lurch verhält, indem er seine Nachkommen als freischwimmende Larven ins Wasser absetzt. Diese Lar-

ven atmen mit Kiemen und wachsen im Laufe von vier Jahren zu den so auffällig gelbgefleckten Amphibien heran. Das eigenartige Kleid muß fast als Gegenstück einer Schutzfarbe angesehen werden – läßt es seinen Träger doch auf große Entfernung erkennen. Die Natur beschritt hier offenbar einen andern Weg, um ihrem Geschöpf Schutz vor Feinden zu geben: nämlich den der sogenannten Schreckfarbe. Die grelle «Kriegsbemalung», unterstützt noch durch ein Hautgift des Salamanders, verlockt kaum irgendeinen Räuber zu einem Angriff. Zwingt man nun den Alpensalamander, im Lebensraum des Feuersalamanders seine Eier ins Wasser abzugeben, so entwickeln sich dort tatsächlich normale Larven. Umgekehrt ist es auch gelungen, den Feuersalamander in der Region des Alpensalamanders ohne Wasser zur Entwicklung seiner Jungen im Muttertier zu zwingen – ihn also «lebendgebärend» zu machen. Gibt es noch ein einleuchtenderes Beispiel einer «direkten Anpassung» an veränderte Umweltbedingungen?
Von der alpinen Vogelwelt sei ein Beispiel aus der Ordnung der Hühnervögel herausgegriffen, das Alpenschneehuhn. Sicher haben die meisten Touristen und Bergwanderer seinen eigenartigen Korr-korr-Ruf schon vernommen. Ob sie den hübschen Vogel dann auch gesehen haben, ist allerdings eine andere Frage. Denn die Schneehühner tragen im Sommer wie im Winter eine Schutzfarbe von so vorzüglichem Schutzvermögen, daß es sehr schwer ist, die Vögel auch zu entdecken. Sie sind im Winter fast vollständig weiß. Die schwarzen Schwanzfedern sind meist unsichtbar, und nur beim Hahn zieht sich vom Schnabel zum Auge hin ein schwarzer Zügelstreifen. Es ist also praktisch unmöglich, die ruhig sitzenden Vögel in einer weißen Schneelandschaft zu entdecken. Sie haben aber die Gewohnheit, sich schon auf ziemlich große Distanz bemerkbar zu machen, indem sie ihren Warnruf ertönen lassen und gelegentlich auch abfliegen. Allerdings fliegen sie nie weit, sondern suchen schnell wieder irgendwo am Boden Deckung. Nur im Flug lassen sie nun auch ihre schwarzen Schwanzfedern sehen. Im Sommer ist das Gefieder graubraun gesprenkelt, entspricht also fast genau der Farbe einer sommerlichen Schutthalde. Jetzt werden die weißen Flügelpartien geschickt versteckt, als ob die Vögel wüßten, daß sie sich damit verraten könnten. Im Übergangskleid im Herbst findet sich bereits ziemlich viel Weiß. In der Größe steht es zwischen Haushuhn und Taube. Füße und Zehen sind so dicht befiedert, wie man das bei keiner anderen alpinen Hühnerart findet. Dieser Kälteschutz scheint aber auch notwendig, bewohnt es doch die höchsten Regionen unserer Berge zwischen zirka 2000 und 3600 Meter über Meer.
Von einem interessanten Erlebnis mit dem Schneehuhn, das einige Jahre zurückliegt, sei hier kurz berichtet. An einem Februartag nach einem kräftigen Schneefall brachten mir zwei Knaben ein totes Schneehuhn. Es war noch warm und hatte am Hals eine Schnittwunde, die noch blutete. Die beiden Buben waren mit ihren Ski vom Strelapaß nach Davos abgefahren. Dabei spürte der eine plötzlich, daß er mit

Bergwald aus der Vogelschau.
Alp Selamatt.

den scharfen Stahlkanten seines Skis auf ein Tier stieß und dieses verletzte. Er bemerkte schnell einen weißen Vogel, der noch einige Bewegungen machte und dann tot liegenblieb. Offenbar hatte sich das Schneehuhn im Laufe des anhaltenden Schneefalls einschneien lassen und wollte nun, geschützt durch die isolierende Schneedecke, wieder bessere Wetterverhältnisse abwarten. Dabei wurde es von unserm nichts ahnenden Knaben überfahren und getötet. Auch andere alpine Hühnervögel suchen gelegentlich Schutz unter der Schneedecke. Wir haben zum Beispiel schon öfters eine ganze Gruppe von Birkhähnen im Laufe einer Skiabfahrt unter der Schneedecke aufgescheucht. In einem Fall hatten sich die Vögel selbst in den Schnee eingegraben, um vor einem starken, sturmartigen Föhnwind Schutz zu suchen. Im Magen des toten Schneehuhns fanden wir später etwa vierzig schneeweiße Steinchen. Offenbar fressen also auch die Schneehühner nach Art unserer Haushühner Kieselsteinchen, um mit Hilfe solcher «Mahlsteine» die Verdauung der harten Körnernahrung zu erleichtern. Es ist dies eine Einrichtung, die wir gut verstehen können, denn der Schnabel wäre nie in der Lage, die Arbeit unserer Zähne zu ersetzen.

Die Benützung der winterlichen Schneedecke als Kälteschutz gibt uns vielleicht einen Hinweis zum Wärmehaushalt unserer Schneehühner. Ist es nicht fast ein Wunder, daß der Vogel bei den so tiefen Wintertemperaturen in unsern Bergen überhaupt leben kann? Bei einer Körperwärme von 40 Grad Celsius und einer Außentemperatur von minus 20 Grad Celsius ergibt dies ein Temperaturgefälle von 60 Grad. Bekanntlich nehmen die Bewohner des hohen Nordens [Lappländer, Eskimos] im Winter besonders fettreiche Nahrung zu sich, um unter ähnlichen Bedingungen genügend Verbrennungswärme erzeugen zu können. Unsere Schneehühner aber müssen in der unbarmherzigen Sturmeskälte oft längere Zeit ganz ohne Nahrung auskommen. Und wenn sie wieder einmal welche finden, so sind es armselige Dürrgräser, Blättchen oder Wurzeln, mit denen sie ihren Körper aufheizen sollten. Sicher werden auch die Fettreserven des Sommers angegriffen. Trotzdem aber erscheint uns der kleine Vogelkörper wie ein richtiger Wunderofen. In einer vollständig lebensfeindlichen Umgebung birgt er Leben und sicher auch Lebenslust in einer Art, die uns Zeitgenossen eines vollständig technisierten Zeitalters mit Staunen und Bewunderung erfüllen muß.

Unter den Säugetieren unserer Alpen genießt das Murmeltier von jeher die besondere Sympathie der Alpenwanderer. Wahrscheinlich hat sich auch schon der eine oder andere Beobachter die Frage nach der Bedeutung des merkwürdigen Namens gestellt. Nun, aus den «mures alpini» [Alpenmäuse] der römischen Naturforscher sollen «mures montani» [Bergmäuse] und daraus im Althochdeutschen die «Murmenti», schließlich in neuerer Zeit das Murmeltier geworden sein. Ähnlich klingen noch heute das italienische «marmotta» oder die rätoromanischen Bezeichnungen «montanella» und «muntaniala». Der «Munk» der Glarner und Innerschweizer

Bilder links: Wenn wir der scheuen Gemse [Rupicapra rupicapra] in den Bergen der Schweiz oft begegnen können, ist das zwei Umständen zuzuschreiben. Einmal der sehr scheuen Art des Tieres, dessen Fluchtdistanz einigemal größer ist als zum Beispiel beim Steinbock, dann aber auch sehr früh eingesetzten Schutzbestrebungen. Im Kärpfgebiet, dem ältesten Freiberg der Schweiz, genießen die Gemsen Schutz vor dem Menschen seit dem sechzehnten Jahrhundert. Das Engadin gilt heute als eines der gemsenreichsten Gebiete Europas.
Der Bergsteiger, welcher das Glück hat, Gemsen in freier Wildbahn zu beobachten, ist immer wieder beeindruckt von der unglaublichen Behendigkeit dieses Alpenbewohners. Die Muskeln der Gemse sind zäh und elastisch wie Stahlfedern. In herrlichen Sprüngen setzen die Gemsen von Fels zu Fels, oft tiefe Klüfte furchtlos überspringend. Bei alpinen Gefahren hingegen zeigen die Tiere Geduld und Klugheit. Lange und strenge Winter können große Lücken in die Gemsbestände reißen. Auch Seuchen und Krankheiten bedrohen die Tiere, die sich, weil das Raubzeug fehlt, nur zu schnell ausbreiten. So hat in den letzten Jahren die berüchtigte Gemsblindheit in verschiedenen Gemsrevieren arg gewütet.

Bild rechts: Wetter- oder Schirmtanne. Solche freistehenden Tannen mit weit hinunter reichenden Ästen sind im Winter gerne aufgesuchte Unterstände und Futterplätze der Gemsen.

Bild links: Der Fuchs [Vulpes vulpes] ist das bekannteste und häufigste Raubtier unserer Berge. Er ist in Höhen bis gut 3000 Meter anzutreffen.
Ein fabelhaftes Anpassungsvermögen und eine wunderbare, instinktive Schlauheit haben das stark verfolgte Tier bis heute vor der Ausrottung bewahrt.
Im Gebirge bewohnt der Fuchs gewöhnlich zwei bis drei Bauten, eine davon in großer Höhe. Je nach Futterplatz oder Jagdzeit wechselt er seine Wohnungen. Als größtes Raubtier der Alpen spielt der Fuchs bei der Ausmerzung kranker und schwächlicher Tiere eine wichtige Rolle im Naturgeschehen.

Bilder rechts: Das Murmeltier [Marmota marmota] ist einer unserer besonders liebenswerten Alpenbewohner. Wenn es zwischen Mitte und Ende April aus seinem halbjährigen Winterschlaf aufwacht, ist gleich auch die Zeit der Paarung da.
Das drollige Bärlein [oben] tappt über den Schnee seiner Auserwählten entgegen.

Murmeltiere anfangs Oktober beim Wildseeli [Säntisgebiet].

Das Bäuchlein ist gemästet, die Höhle für den langen Winterschlaf mit Heu ausgepolstert. Taucht Gefahr auf, so treibt der berühmte schrille Pfiff, der kein Pfiff, sondern ein Bellen ist [unterstes Bild], die Tiere blitzschnell in den Bau.

Ein Hirsch [Cervus elaphus] kämpft sich durch den tiefen Schnee des Schraubachtobels im Prättigau. Der Hirsch ist das größte Tier unserer Alpenwelt. Er wird bis 180 Kilogramm schwer. Noch vor wenigen Jahrzehnten war der Hirsch, mit Ausnahme einiger Standorte im Kanton Graubünden, in unsern Alpen so gut wie ausgerottet. Durch strenge Schutzmaßnahmen in letzter Minute konnte das Aussterben des eindrücklichen Tieres verhütet werden.

Im Gebiet des Nationalparks konnte sich der Hirsch dank dem vollkommenen Schutz so gut entwickeln, daß die großen Herden für die an den Park angrenzenden Landwirtschaftsgebiete heute eine Plage geworden sind.

wurde aus «munkeln» [= heimlichtun] abgeleitet und bezeichnet also ein eher scheues, ängstliches Tier. Die «Mistbelleri» der Walliser ist eine alte Bezeichnung für Hund.

Das Tier kann bis zu zehn Kilo schwer werden. Sein dichter, grobhaariger Pelz ist graubraun bis rötlichgelb und entspricht fast vollkommen der Tönung eines Krummseggenrasens im Herbst – ein schönes Beispiel von Schutzfarbe. Auffällig sind die sehr kleinen Ohrmuscheln, vielleicht ein Entwicklungsergebnis der Lebensweise in den engen Röhren des unterirdischen Baues. Die grabenden Murmeltiere arbeiten sehr schnell, indem sie mit den langen Krallen der Vorderfüße abtragen und das Material mit den Hinterfüßen hinter sich schieben. Der gedrungene Körper mit kurzem Hals und breitem Kopf wirkt im ganzen mehr drollig als plump. Viele Bewegungen, etwa beim Spielen der Jungtiere [Kätzchen], sind fast graziös, während der Gang eines ausgewachsenen «Bären» eher schwerfällig erscheint. Das typische Merkmal des Nagetiers, die Nagezähne, können im Oberkiefer bis sieben und im Unterkiefer bis fünfeinhalb Zentimeter lang werden! Sie sind bei ältern Tieren auf der Vorderseite gelb, da nur dieser Teil des Zahns von Schmelz überzogen ist. Die hintere, weichere Zahnbeinsubstanz nützt sich beim Nagen ab, so daß eine meißelartig scharfe Schmelzkante entsteht. Der bekannte schrille Warnpfiff [er ist zwar kein Pfiff, sondern ein in der Kehle gebildeter Schrei] wird nicht von einem «beauftragten Wächter», sondern von jedem Tier abgegeben, das den Feind zuerst entdeckt. Diese aufgestellten Wachtposten vieler Tiergeschichten existieren in der Regel nicht. Gemeldet werden insbesondere Raubvögel schon auf sehr große Distanz – ein Beweis für das sehr gute Auge. Ungewohnte und unbewegliche Objekte, beispielsweise auch ein ruhig stehender Mensch, werden oft gar nicht beachtet, wie man immer wieder feststellen kann. Das ist wohl auch ein Grund dafür, daß sich in den letzten Jahren Foto- und Filmkamera mit sehr gutem Erfolg in unsern Murmeltierkolonien betätigen konnten, so daß sehr hübsche Dokumente unseres sympathischen Alpenbewohners entstanden.

Haben wir bei der kurzen Besprechung des Alpenschneehuhns auf das Problem der Überwinterung in den Bergen hingewiesen, so bietet sich jetzt Gelegenheit, in der Erscheinung des Winterschlafes eine schöne Anpassungserscheinung an die strengen Winterverhältnisse kennenzulernen. Schon ohne Kenntnis von Einzelheiten hat die Fähigkeit, sich mit Hilfe «eines sanften Schlummers» durch den kalten, hungerdrohenden Winter in den warmen Frühling zu retten, etwas Bestechendes an sich. Für unsere Alpenbewohner scheint es geradezu die ideale Lösung des Winterproblems zu sein! Es war denn auch schon oft Gegenstand wissenschaftlicher Untersuchungen – ein Beweis dafür, daß dieses «sanfte Einschlummern und wieder Erwachen» in Wirklichkeit doch nicht so einfach abläuft, wie man sich das vielfach vorstellte. Beschränken wir uns hier auf die wichtigsten Angaben und auf eine kurze Darlegung der modernen Untersuchungsergebnisse.

Die Winterschlafperiode dauert bei den Murmeltieren der höhern Bergregion etwa sieben, bei denen der tiefern Region etwa sechs Monate. Sie wird eingeleitet durch ein ständig steigendes Schlafbedürfnis der Tiere – unabhängig von den herrschenden Wetterverhältnissen. Im Winterschlaf selbst erwachen die Schläfer nur zirka alle drei Wochen einmal zur Abgabe von Harn und Kot. Sie benützen dabei alle dieselben bestimmten Stellen des Winterbaues. Die Körpertemperatur sinkt stark ab und paßt sich weitgehend der Außentemperatur an. Als günstigste Spanne werden die Temperaturen zwischen 5 und 10 Grad Celsius angegeben. Bei weniger als 4 Grad Celsius erwachen die Tiere und beginnen sich durch Körperbewegungen zu erwärmen. Es besteht also eine Sicherung vor dem Erfrierungstod, deren Wirkungsweise wir noch nicht erklären können. Beim Erwachen steigt die Temperatur innert weniger Stunden auf 37 Grad Celsius an. Dabei wird sehr viel Energie verbraucht. Ein «Wachtag» während des Winterschlafes kostet das Tier soviel Energie wie 29 «Schlaftage»! Der Schlaf selbst ist eine Lethargie, in der die Tiere weitgehend unempfindlich sind gegen Licht, Verletzungen und andere Einflüsse. Sie liegen, wohl zur Verkleinerung der Oberfläche, eng zusammengerollt, Schnauze am After, nahe beisammen. Aus dem «Warmblüter» des Sommers ist ein wechselwarmer Schläfer geworden, der seine Körpertemperatur der Außentemperatur angleicht. Und aus dem Vegetarier wird ein «Fettzehrer», der im Hungerstoffwechsel seine Fettreserven abbaut und in Kohlehydrate umwandelt. Etwa ein Fünftel des Körpergewichtes, also rund ein Kilo, geht dabei verloren. Das Herz schlägt noch vier-bis sechsmal pro Minute, und man beobachtet nur etwa alle vier Minuten einmal einen Atemzug, während das Tier im Wachzustand rund 36000mal im Tag atmet. Der Magen ist leer und zusammengeschrumpft. Die sich allmählich füllende Blase löst offenbar den Weckreiz aus, daher die zirka dreiwöchentliche Leerung.

Über Anfang und Ende des Winterschlafes wurden verschiedene Theorien aufgestellt. Nach neuern Untersuchungen sind dafür Vorgänge in der Schilddrüse verantwortlich. Vermutlich wird diese wichtige Hormondrüse im Laufe des Sommers durch zunehmende Verfettung in ihrer Tätigkeit mehr und mehr gehemmt. Sie verkleinert sich ständig, und die Hormonproduktion setzt aus. Als Folge stellen sich das wachsende Schlafbedürfnis und endlich die Lethargie ein. Im Versuch konnte tatsächlich nachgewiesen werden, daß ein in Lethargie befindliches Tier sofort erwachte, als man ihm Extrakt einer tätigen Schilddrüse einspritzte. Zur Frühlingszeit beginnt offenbar die Drüse wieder zu arbeiten, was dann den Abschluß des Winterschlafes bedeutet. Diese Theorie würde auch erklären, warum die Murmeltiere an den schönen Spätherbsttagen, wie wir sie im Gebirge ja sehr oft beobachten, trotz reichlicher Speisekarte bereits Winterschlaf halten, statt ihre Fettreserven zu schonen. Oder warum sie anderseits im Frühling oft durch meterdicke Schneedecken ihre Höhlen verlassen, wenn noch gar kein Futter zur Verfügung steht, so daß dann wohl nur das Lagerheu über den schlimmsten Hunger hinweghelfen kann.

Eine interessante Beobachtung von B. Schocher sei im Zusammenhang mit dem Winterschlaf angeführt. Der Verfasser eines bekannten und sehr hübschen Murmeltierbuches stellte fest, daß sich im Herbst sehr oft die Bergdohlen in der Nähe der Murmeltierbaue aufhielten und dort nach Eingeweidewürmern suchten. Offenbar wollen die sehr von Spulwürmern und Bandwürmern geplagten Murmeltiere sich vor dem Winterschlaf ihrer Darmparasiten entledigen und nehmen zu diesem Zwecke reichlich bestimmte Moosarten auf, die als «Wurmmittel» dienen. Die mit der Losung abgehenden abgetöteten Würmer passen anderseits den Alpendohlen wieder recht gut in ihren Speisezettel.
Zum Schluß unseres kleinen Kapitels über die Alpentiere wollen wir uns noch etwas mit dem Steinbock beschäftigen. In neuerer Zeit mehren sich die Meldungen von Begegnungen mit dem stolzen Hornträger in den verschiedenen Tälern unserer Alpen. Das ist sehr erfreulich. Und die Besprechung ist für uns deshalb besonders reizvoll, als sich ja sonst kaum einmal Gelegenheit bietet, über positive Ergebnisse von Naturschutzbestrebungen zu berichten. Breitenentwicklung des Tourismus, Technisierung und Verkommerzialisierung charakterisieren unser Zeitalter und bilden eine ständige Bedrohung gefährdeter Tier- und Pflanzenarten wie auch landschaftlicher Schönheit und Unberührtheit. So freuen wir uns denn, einmal von einer glücklichen Entwicklung, von Wiedereinsetzung, Vermehrung und Festigung einer bei uns ausgestorbenen Tierart berichten zu dürfen.
Durch Funde wird belegt, daß der Steinbock in prähistorischer Zeit in den Alpen und Voralpen verbreitet war. Bis ins 15. Jahrhundert hinein dürfte er auch im Gebiete der Schweizer Alpen noch ziemlich häufig gewesen sein. In Graubünden starb er aber vermutlich schon zwischen 1630 und 1640 aus – und dies trotz Androhung der Todesstrafe bei Frevel! Grund dafür war einmal nicht allein die «ungezügelte Jagdleidenschaft» der alten Bündner, sondern vielmehr der Umstand, daß fast alle Teile des Tieres als wertvollste Medikamente galten. [Sogar die Losung sollte gegen Schwindsucht helfen!] Eine letzte Kolonie hielt sich in den unzugänglichen Tälern des Gran-Paradiso-Gebietes im italienischen Piemont und gelangte glücklicherweise unter den Schutz der damaligen italienischen Königsfamilie. Nach 1900 sollen bis zu 3000 Tiere gezählt worden sein, die von einer besondern Garde uniformierter Wildhüter betreut wurden. Man erließ ein scharfes Jagd- und Ausfuhrverbot. Aber trotzdem wurde viel gefrevelt – schreibt doch der Matterhorn-Erstbesteiger Edward Whymper in seinen «Berg- und Gletscherfahrten», daß man überall im Aostatal Steinbockfelle und -hörner, ja sogar lebende Tiere kaufen konnte.
1869 wurde in der Sektion Rätia des SAC erstmals die Anregung gemacht, einen Versuch zur Wiedereinbürgerung des Steinbocks in Graubünden durchzuführen. Da keine reinblütigen Tiere erhältlich waren, erwarb man Bastardsteinwild und setzte eine erste Gruppe im Welschtobel bei Arosa aus. Nun setzen aber die Bastardziegen ihre Jungen beträchtlich früher als die echten Steingeißen, und so konnten

keine Jungtiere aufkommen. Sicher waren aber noch andere Gründe mit im Spiel, daß die ersten Versuche mit einem Mißerfolg endigten. Sie wurden 1902 in etwas anderer Form in St. Gallen wieder aufgenommen. 1906 gelang nach vielen Schwierigkeiten erstmals die Einfuhr von drei reinblütigen Steinkitzen aus dem Gran-Paradiso-Gebiet – allerdings auf illegalem Wege. Sie sollten, zusammen mit Jungtieren späterer Nachschübe aus Italien, die Stammeltern aller Steinbockkolonien in unserm Lande werden. Nach geglückten Aussetzungsversuchen im St. Galler Oberland ließ man 1920 erstmals auch Tiere im Nationalpark frei. Diese wanderten zum Teil aus, und es entstand von selbst die später von Wildhüter Andrea Rauch sen. betreute Kolonie am Piz Albris bei Pontresina. Sie ist heute mit über 700 Tieren die größte Kolonie im Gebiet der Schweizer Alpen. Zur Zeit werden alljährlich eine größere Anzahl von Böcken und Geißen eingefangen und anderswo ausgesetzt, um die Waldschäden einigermaßen im Rahmen halten zu können. Die Zahl der Steinböcke und -geißen im Gesamtgebiet der Schweizer Alpen dürfte etwa 3700 Stück betragen.

Der ausgewachsene Steinbock wiegt gegen hundert Kilo. Die Böcke sind viel kräftiger als die Geißen. Die mächtigen, durch Knoten gekennzeichneten Hörner werden beim Bock bis ein Meter lang, bei der Geiß dagegen nur etwa vierzig Zentimeter. Wer immer Gelegenheit findet, dem Steinwild beim Klettern zuzusehen, ist beeindruckt von der unglaublichen Klettertüchtigkeit der doch recht großen und schweren Tiere. Sie meistern ihre Kletterstellen ruhig, aber mit ausgewogener Balance, während zum Beispiel die Gemse solche immer in raschem Tempo und in Sprungakrobatik nimmt. Aber auch das Springen liegt dem Steinwild ganz besonders. Wurde doch im St. Galler Tierpark Peter und Paul öfters beobachtet, daß die jungen Steinkitzen ihrem Wärter ohne Anlauf auf den Kopf sprangen und dort ruhig stehenblieben. Sicher haftet das gummiartige Hornmaterial der Hufe ausgezeichnet am rauhen Fels, vergleichbar der Profilgummisohle eines Kletterschuhs. Aber auch die harten Kanten und Spitzen am Huf fehlen nicht und ermöglichen den Alpenbewohnern das sichere Begehen abschüssiger Firn- und Grashalden oder exponierter Rasenbänder. Alle Bewegungen sind äußerst sicher und gewandt. Kleinste Vorsprünge und winzige Leistchen im Fels werden benutzt, und man erhält die Überzeugung, daß das Klettern dem Steinwild ausgesprochenes Vergnügen bereitet. Wie Andrea Rauch berichtet, zeigen die Steinböcke große Vorsicht beim Begehen von Lawinenhängen.

Der «Steinbockgürtel» liegt wohl allgemein über dem «Gemsengürtel». Oft aber weiden Steinbock und Gemse auch ruhig beisammen. Weideplätze, auf denen sich die Steinbocklosung aber ansammelt, werden von den Gemsen gemieden. Das Steinwild weidet sämtliche Futterpflanzen der alpinen Region, auch Flechten. Der in den Südalpen verbreitete Buntschwingel [Festuca varia] soll besonders bevorzugt werden. Sein Vorkommen sollte – nach einer frühern Auffassung – sogar darüber ent-

scheiden, ob ein Gebiet als Areal in Frage komme oder nicht. Sie hat sich als unrichtig erwiesen. Der Wasserbedarf der Tiere ist relativ gering. Im Winter dürfte ein ausgesprochener Hungerstoffwechsel wie bei der Mehrzahl unserer Alpenbewohner die Regel sein. In einigen Kolonien steigen die Tiere bis in die Krummholzregion ab oder gar noch tiefer. Wir erinnern uns noch recht gut an das gewaltige Hörnerkrachen, das jeweils im Januar/Februar im Arvenwald eine halbe Stunde oberhalb Pontresina zu hören war, als wir dort in den vierziger Jahren Militärdienst leisteten. Offenbar hatten die Albris-Steinböcke dort teilweise ihre Wintereinstände, und das Stoßen wird ja nicht nur in Rivalenkämpfen zur Brunstzeit geübt, sondern bedeutet ebenso eine Befriedigung des Bewegungsdranges und Spieltriebes der Böcke. Die Brunstzeit beginnt etwa Ende November und endigt anfangs Januar. Auch die alten «Einsiedlerböcke», die das Jahr hindurch nichts von «familiären Bindungen» wissen wollen, stoßen dann zum Rudel. Zu scharfen Kämpfen zwischen den Böcken kommt es dagegen kaum, da eine Rangordnung schon besteht und die Jungen den Platz freiwillig räumen. Bei Beunruhigung eines Rudels vernimmt man öfters einen Warnpfiff, der sich gut mit einem etwas ärgerlichen Niesen eines Menschen vergleichen läßt. Naht man den Tieren, so beobachten sie zunächst mit einer gewissen Neugier, was da kommt, um sich dann in bedächtiger und, wie es scheint, überlegter Fluchtbewegung abzusetzen.
Noch vieles ließe sich erzählen über Merkmale und Lebensweise unseres Steinwildes – und noch sehr vieles wissen wir nicht. Noch viele interessierte Forscher werden Probleme finden, die es zu lösen gilt, und das Verständnis für die prächtigen Alpentiere fördern. Schöner aber als das Lesen der Berichte und als das Studium der wissenschaftlichen Beobachtungen ist nach unserm Dafürhalten die eigene Beobachtung. Das gilt natürlich nicht nur in bezug auf das Steinwild, sondern auf alle Pflanzen und Tiere, die unser Alpengebiet besiedeln. Lernen wir es wieder, dieses ruhige, geruhsame Wandern in der Bergregion, das Stillsitzen und Beobachten, das Aufnehmen und Verarbeiten von Eindrücken, die wir in so reichem Maße empfangen. Es ist die beste Medizin der Ferientage für unsere vom Berufsleben oft überbeanspruchten Nerven und führt uns zurück ins einfache Leben, weg von Zivilisation und Alltagshetze. Bergsteigen und Naturbeobachten, das waren in der Zeit des klassischen Alpinismus Begriffe, die untrennbar miteinander verknüpft waren. Sorgen wir doch dafür, daß diese Bindung auch heute, in der Zeit des modernen Alpinismus, nicht allzusehr verlorengeht!

Siehe auch unsere Übersicht der Alpentiere, S. 273.

Tessin
Zentralschweiz
Die Alpen der Ostschweiz
Berninagruppe

Die genügsamen Schafe bevölkern im Sommer zu Tausenden jene steilen und steinigen Regionen der Alpen, die den Rindern und Kühen nicht mehr zugänglich sind.
Zur Kontrolle werden die Tiere in die Pferche getrieben. Im Tessin und Wallis erinnern diese Pferche an prähistorische Siedlungen.

Bild links: Im Nordosten Luganos, zwischen dem Valle del Franscinone und dem italienischen Valsolda, überragt eine Reihe bizarrer Felszacken die weiten Kastanienwälder: die Denti della Vecchia. Höchster Punkt ist der Sasso Grande [1491 m]. Das kleine Massiv ist ein prächtiger Klettergarten mit einer überraschend großen Zahl von Routen der verschiedenen Schwierigkeitsgrade. Kein Geringerer als der berühmte Dolomitenführer Emilio Comici, der mit seiner Durchkletterung der Großen Zinne-Nordwand eine neue Ära des Alpinismus eingeleitet hatte, eröffnete im April 1935 die erste anspruchsvolle Kletterei auf den Sasso Piccolo. Seither ist das Gebiet, vor allem durch den Luganeser Führer Bruno Primi, gründlich erforscht worden. Auch Kletterer aus Lecco haben einige schwierige Routen eröffnet, und Cesare Maestri hat am Sasso Palazzo seine Alleingängertechnik demonstriert. Bild rechts: Der Kletterer schwebt beim Abstieg von einem Felsturm über den Kastanienwäldern des Val Colla. Darüber erheben sich die schneebedeckten Gipfel der Zentralalpen.

Folgende Doppelseite
Der Dunst eines milden Spätherbsttages liegt über dem Malcantone. Links außen die Denti della Vecchia. Aus dem Dunst ragend von links nach rechts: Monte Lema [1619 m], Pne di Breno [1635 m], Monte Gradiccioli [1935 m] und Monte Tamaro [1961 m].

Der Chärstelenbach im Maderanertal wird vom Schmelzwasser des mächtigen Hüfifirns genährt, der sich zwischen Clariden, Scherhorn und dem Düssistock ausdehnt. Im Norden beherrschen die Kalkberge des Windgällenmassivs das Tal. Eine der hübschesten leichteren Klettereien von der Windgällenhütte aus ist die Traversierung Gwasmet [2841 m] – Pucher [2933 m], die am 9. Juli 1905 erstmals von H. Escher und F. Weber unternommen wurde. Der Pucher fällt, wie die Große Windgälle [3187 m], in einer gewaltigen Mauer gegen das Schächental ab. Diese beiden Nordwanddurchstiege sind sehr lange, ernsthafte Touren.
Die beiden Bilder rechts sind zwischen Gwasmet und Pucher aufgenommen worden.
Oben: Großer Ruchen [3138 m], Ruchenfirn und Kleiner Ruchen [2944 m], im Nebel die beiden Scherhörner [3294 m, 3234 m].
Unten: Der Sockel der Großen Windgälle, rechts außen der jähe Nordwandabsturz, links der breite Couloir der Ostflanke, durch den die übliche Aufstiegsroute verläuft.

Linke Seite
Von Westen her gesehen ist der Pucher [2933 m] ein abenteuerlicher, überhängender Felskopf. Ein Stemmkamin vermittelt den Zugang zum luftigen Gipfel. Hinter dem Kletterer der Oberalpstock, der höchste Punkt der östlichen Urner Alpen. Der 3327 Meter hohe Berg wurde 1799 erstmals von dem bekannten geistlichen Erforscher der Bergwelt, Pater Placidus à Spescha aus dem Kloster Disentis, mit Josef Senoner bestiegen.

Rechte Seite
Bild oben: Einen baldigen Wettersturz kündet der Wolkenhimmel über den Kletterbergen am Sustenpaß an. Die festen Urgesteinszacken sind früh schneefrei und vom Sustenpaß her in kurzen Anstiegen erreichbar. Links der Sustenlochspitz. Der markante Gipfel rechts von der Bildmitte ist das Wendenhorn [3023 m], anschließend Fünffingerstock [2926 m] und Grassen [2946 m].
Bild unten: Föhnstimmung über den beiden Mythen. Trotz der geringen Höhe imponiert dieses Kalkgebirge über dem Flecken Schwyz, weil es unvermittelt aus dem grünen Hügelland aufragt.
Links der Haggenspitz [1761 m], gefolgt vom Kleinen Mythen [1811 m] und vom Großen [1898 m]. Wanderer und Kletterer werden von dem kleinen Gebirgsstock gleichermaßen angezogen, der eine erstaunlich reiche Gliederung und eine entsprechend große Zahl von Aufstiegen hat.

Linke Seite
Der Rigi [1797 m], immer noch einer der schönsten Aussichtspunkte der Schweiz, gewährt einen umfassenden Einblick in die Gebirgszüge der Alpen und in die Hügelwelt des Mittellandes. Einen Sonnenaufgang oder -untergang auf dem Rigi, über der Fjordlandschaft des Vierwaldstättersees zu erleben, ist auch für den Alpinisten ein begeisterndes Schauspiel. Ein Nebelmeer brandet um die Klippen des Bürgenstocks.

Rechte Seite
Das alte Klosterdorf Engelberg ist Ausgangspunkt für Besteigungen in der Spannortkette [Bild oben] und im Gebiet des Titlis. Das Große Spannort [3198 m] ist im Frühjahr eine lohnende Skitour. Die Kletterrouten an der dolomitenhaft aussehenden Spannortkette sind leider ziemlich brüchig.
Der Titlis [3239 m] ist der rassigste Skiberg der Zentralschweiz [Bild unten]. Mehr als 2000 Meter Höhendifferenz überwindet die Abfahrt nach Engelberg.

«… denn so ein Schirm ist ganz famos.»
Tatsächlich ist er bei einem richtigen Landregen auch im Gebirge jedem anderen Regenschutz überlegen. Abstieg vom Grassen [2946 m].

Warten auf den Sonnenaufgang. Großes Furkahorn [3169 m], Ende Oktober. Der Furkapaß ist geschlossen. Schnee liegt bereits metertief auf Felsen und Gletschern. Die im Sommer von Verkehrswegen durchschnittenen Berge der Zentralalpen umgibt urzeitliche Stille. Ein kleines Zelt schützt vor der großen Kälte. Das Tuch knattert in der steifen Bise. Die Alpen sind nicht so überlaufen, wie man oft meint. Einsamkeit und Abenteuer sind immer noch im Gebirge, wenn wir sie suchen. Ein unbedeutender Aussichtsberg wie das Furkahorn kann Erlebnisse schenken, die denen einer Expedition in ferne Gebirge ähnlich sind.

Linke Seite
Der luftige Zeltplatz auf dem Großen Furkahorn senkt sich im Südwesten steil gegen das noch schneefreie Goms hinunter. Pickel, Haken und Felsblöcke helfen das Zelt sturmsicher verankern.
Weil die Bergsteiger am Morgen nicht beinhart gefrorene Schuhe anziehen wollen, stekken sie dieselben in den Schlafsack, nicht ohne vorher den Schnee aus den Profilgummisohlen herausgeklopft zu haben.

Rechte Seite
Die Gipfelrunde der Zentralalpen zeigt sich am frühen Morgen besonders schön. Eindrücklich erscheint der nahe Galenstock [3583 m], der südlichste Eckpfeiler einer ganz respektablen Reihe von Stöcken [Eggstock, Schneestock, Dammastock, Rhonestock, Tiefenstock]. Alle diese Stöcke bilden die östliche und nördliche Umrahmung des Rhonegletschers. Der Galenstock, dessen charakteristische, meist stark überwächtete Firnbedachung ein weithin sichtbarer, markanter Punkt im Panorama der Zentralalpen bildet [siehe auch das einklappbare Panorama], wurde erstmals 1845 durch die Partie E. Desor, D. Dollfuß-Außet und D. Dollfuß mit den Führern H. Währen, H. Jaun, M. Bannholzer und D. Brigger bestiegen.

Bilder links: In den steilen Flühen des Eggstocks [2445 m; im Vordergrund] über dem glarnerischen Braunwald blüht das Edelweiß.
Was kann der weißfilzige Blumenstern dafür, daß er zum Inbegriff allen Alpenkitsches gemacht worden ist? Immer noch und immer wieder übt das bescheidene Blümchen, das sich mit seinem feinen Haarfilz gegen das Ausdorren und gegen das Erfrieren schützt, eine große Anziehungskraft aus.

Bild unten: Der Tödi, mit 3620 Meter Höhe der höchste Gipfel der Glarner Alpen, ist ein massiger Gebirgsstock. Seine Besteigung, auch auf den leichtesten Routen, ist anstrengend, denn die zu überwindenden Höhendifferenzen sind groß. Der Ausgangspunkt Linthal liegt ganze 650 Meter hoch, die Fridolinshütte 2111 Meter. 1824 wurde der Tödi erstmals von Placidus Curschellas und August Bisquolm von der Bündner Seite her bestiegen.
Die Aufstiege über den Nordgrat sowie durch Nordost- und Nordwestwand sind sehr schwierig. Der Fels ist meist brüchig und oft vereist.

Die Gipfel rund um das tief-eingeschnittene Calfeisental im St. Galler Oberland sind keine Anziehungspunkte des internationalen Alpinismus. Der Fels ist brüchig, und die langen, schiefrigen Flanken sind oft mühsam zu begehen. Aber auch diese Berge haben ihren Reiz. Es sind zum Teil einsame, selten begangene Gipfel, in deren Flanken die größten Gemsrudel anzutreffen sind. Wer nicht nur an Klettereien, sondern auch an Flora, Fauna und Gesteinskunde interessiert ist, kommt hier auf seine Rechnung.

Bild links oben: Von der Sardonahütte der Sektion St. Gallen des SAC steigt der Bergsteiger dem Tristelhorn [3114 m], einem einsamen Berg im hohen Kamm des Ringelgebirges, entgegen.

Bild links unten: Über dem von Morgennebel bedeckten Calfeisental ragen die Grauen Hörner. [Pizol, 2844 m.] Hier gelang 1911 die erste erfolgreiche Wiedereinbürgerung des Steinbocks.

Bild rechts: Vom Ringelspitz [3247 m] zieht sich eine lange und steile Firnrunse gegen das Calfeisental hinunter, die Glaserrunse. Das horizontale Band im obern Bildteil ist die Grenzlinie einer berühmten geologischen Überschichtung. Der sehr alte Verrukano liegt auf dem jüngeren Fliesch.

Ein Berggebilde von ganz unverwechselbarem Charakter ist der sagenumwobene Flimserstein [2678 bis 2694 m]. Steile Felsabstürze umgeben fast ringsum die weite Flimser Kuhalp.
In den Kalkfelsen des Flimserstein entwickelt sich eine Kolonie des Steinbocks, zur großen Freude vor allem auch der Bündner, die ihr stolzes Wappentier gerne wieder als heimisches Standwild sehen.

Die Churfirstenkette, dem Skiläufer und Wanderer seit langem ein Begriff, rückte erst nach dem Zweiten Weltkrieg in das Bewußtsein der Alpinisten. Während die sieben Gipfel sich gegen das Obertoggenburg in zum Teil langgestreckten Firsten senken [Bild rechts oben], brechen sie gegen den Walensee in 200 bis 500 Meter hohen, lotrechten Felswänden ab. In diesen Wänden wurden in den letzten zwanzig Jahren Kletteraufstiege erforscht, die zu den schönsten und schwierigsten Kalkklettereien der Schweiz gehören.
Die höchste und breiteste Churfirstenwand ist jene des Brisi [2279 m]. Sie hat mit 500 Meter Kletterhöhe Dolomitenausmaße [Bild rechts unten]. An einem 31. Januar hat Bergführer Paul Etter mit dem Autor die Wand durchklettert. Es war eine Winterbegehung bei angenehmsten Verhältnissen. Von Schrina-Hochrugg folgt man dem markierten Pfad zur Palisnideri, einem Übergang ins Obertoggenburg zwischen Brisi und Zustoll. Kurz unter der Wand verläßt man den Weg und gewinnt über steile Schroffen den Einstieg.

Senkrecht steigt der Fels an. Nach wenigen Metern aber neigt er sich nach außen. 25 Meter hoch ist die überhängende Zone, durch die sich die Erstbesteiger Hans Frommenwiler und Franz Boßhard in alpintechnischer Schwerarbeit einen Weg schlossern mußten, ehe sie in frei kletterbares Gelände kamen. Ohne die Verwendung von Bohrhaken hätten sie diesen langen Überhang kaum überwinden können, denn er ist oft sehr arm an natürlichen Hakenrissen.

Jetzt, da die Haken stecken, ist seine Überwindung eine Sache der Geschicklichkeit und der Kraft. Bergführer Paul Etter verfügt über beides. Er entschwebt nach oben und hinterläßt mir den Eindruck, es handle sich um eine mittlere Turnübung.

Nach der überhangenden Einstiegsseillänge folgen sich in der Brisisüdwand schöne und schwierige Kletterstellen in reicher Zahl. Wenige Seillängen unter dem Gipfel, bei einem geschlossenen Kamin, ist ein Wandbuch deponiert. Die nicht sehr zahlreichen Begehungen dieser schwierigen Kletterei sind darin notiert. Wiederholt stoße ich auf den Namen Geny Steiger. Dieser hervorragende Bergführer aus Walenstadt hat, oft zusammen mit seiner Frau Gaby, wohl die größte Zahl von Erstbesteigungen in den Churfirstenwänden durchgeführt.
Wir haben mit viel Glück den letzten Sonnentag einer langen Schönwetterperiode ausgewählt. Wie wir den Gipfel erreichen, beginnt es zu schneien. In tiefem Pulverschnee steigen wir über die Alp Sellamatt nach Alt St. Johann hinunter.

Bevor die Alpen im Nordosten der Schweiz gegen den Bodensee hin abflachen, türmen sie sich im Säntisgebiet zu einem Schaustück ganz besonderer Art auf. Der 2501 Meter hohe Säntis, mit seinen zwei Firnfeldern Großer Schnee und Blauer Schnee bereits ein Berg des ewigen Schnees, zeigt sich von Norden als Mittelpunkt einer Kette von harmonischem Aufbau. Das Säntisgebiet, von seinen Liebhabern gern Alpstein geheißen, umfaßt drei parallel verlaufende Gebirgszüge, die von einer Mittelachse Säntis–Altmann–Mutschen ausgehen. Zwischen die Kalkfelsen der teilweise bizarren Gipfel sind Alpweiden und Seen eingebettet.

Das Bild ganz unten zeigt das Alpli, das Bild rechts den Fählensee.

Bild links oben: Die acht Kreuzberge sind ein zerrissener Gebirgskamm, von dessen Zacken der Kletterer einen prächtigen Tiefblick ins Rheintal genießt. Der Fels ist zum großen Teil hervorragend. Es ist daher kein Wunder, daß es in diesem kleinen Gebiet Aufstiegswege in reicher Zahl gibt, von der leichtesten Besteigung, dem «Dritten» durch den Westkamin, bis zu den sehr schwierigen Routen einiger Nord- und Südwände.
Bild links unten: Die mittlere Kette bietet zwischen Altmann und Widderalpstöcken eine Anzahl erstklassiger Felstouren. Der Rot Turm ist auch über die leichteste Route sehr schwierig zu besteigen. Über seine Südplatte führt ein Anstieg vom sechsten Schwierigkeitsgrad. Der Hundstein, dessen Spitze von Osten her auf einem Weglein zu erreichen ist, zeigt sich von Süden als imposantes Bollwerk mit teilweise extrem schwierigen Routen.
Bild rechts: Steinbock im Winterkleid in den Felsen des Wildhuser Schafberges.

Der Steinbock [Capra ibex], Wappentier des Kantons Graubünden und für viele Menschen der Inbegriff eines Alpentiers, war seit 1850 im Gebiet der Schweizer Alpen ausgerottet. Leichte Jagdbarkeit und Aberglauben waren gleichermaßen am Verschwinden des eindrücklichen Alpentieres schuld. Den Bemühungen vieler Naturfreunde ist es nach einigen Mißerfolgen gelungen, den Steinbock wieder anzusiedeln. 1911 wurde mit Tieren aus dem Wildpark Peter und Paul in St. Gallen die älteste schweizerische Steinbockkolonie in den Grauen Hörnern im St. Galler Oberland gegründet. Die St. Galler Steinböcke stammten aus dem Gebiet des Gran Paradiso, dem heutigen italienischen Nationalpark und ehemaligen königlichen Jagdrevier, wo dank rigoroser Schutzmaßnahmen der Steinbock überlebte. Heute leben in vierzig Kolonien gegen 4000 Tiere, wovon allein am Piz Albris im Engadin gut 700 Stück. Steinböcke sind Felsenbewohner und steigen in den Alpen bis 3500 Meter hoch. Ihre Nahrung ist rein vegetarisch; sie sind Wiederkäuer. Die Bilder dieser Seiten entstanden am Wildhuser Schafberg. Mit zwei Ausnahmen [Mutter mit Kitz und alter Bock im Haarwechsel] wurden die Bilder im November aufgenommen. Böcke, Geißen und Jungtiere sind im steilen, südwärts gerichteten Wintereinstand vereint. Ein schöner Fettvorrat, Feist genannt, schützt die Tiere vor der Härte des langen Bergwinters. Ein ausgewachsener Bock kann bei einem Körpergewicht von 100 Kilogramm bis zu 35 Kilogramm Fett herumtragen. Im Frühjahr, nach den Strapazen des Winters, bieten die Steinböcke oft ein jammervolles Bild. Daran ist allerdings mehr der Haarwechsel als ein wirklich schlechter Gesundheitszustand schuld. Die Böcke trennen sich jetzt von den Geißen, die Ende Mai bis Anfang Juni ihre Kitze setzen. Schon nach wenigen Stunden vermögen diese ihren Müttern im steilen Gelände zu folgen.

Linke Seite
Blick vom Vierten Kreuzberg [2059 m] im Säntisgebiet in die Westseite des Dritten Kreuzbergs [2020 m]. In der tiefsten Falte [links] dieses geologischen Schaustücks verläuft der Normalaufstieg, der zugleich die leichteste Kletterei in den Kreuzbergen ist. Schwierigkeitsgrad I. Die Rippe ziemlich genau in der Gipfelfallinie bietet eine hübsche Kletterei mittlerer Schwierigkeit [III].

Rechte Seite
Daß Klettern kein exklusiver Männersport ist, haben die Leistungen so hervorragender Alpinistinnen wie Loulou Boulaz oder Yvette Vaucher längst bewiesen. Aber auch Frauen, die nicht gleich ihre Blicke auf die großen Wände der Alpen gerichtet haben, können am Klettern genauso Spaß haben wie am Schwimmen oder Tennisspielen.
Am Normalaufstieg zum Scherenspitz [1926 m] im westlichen Teil des Säntisgebiets.

Folgende Doppelseite
Der mittlere Rätikon mit Drusenfluh, Sulzfluh und Scheienfluh ist ein Kalkklettergebiet von Dolomitenausmaß.
Bild links: Verschneidung in der Südostwand des Kleinen Drusenturms. [Route Dietrich/Mader.]
Bild rechts oben: Kleiner Drusenturm [2754 m] von Nordost.
Bild rechts unten: Sulzfluh [2817 m] von Süden. In der linken Wandhälfte verlaufen von links nach rechts die Routen «Neumann/Stanek», «Unmittelbare» und «Austriakenriß».

Zur Berninagruppe gehören einige der schönsten Alpengipfel. Die Vergletscherung ist sehr stark, und die Formen der Berge sind wild und zerklüftet. Höchster Punkt ist der Piz Bernina [4049 m], der letzte Viertausender der Alpen in Richtung Osten. Er wurde am 13. September 1850 von Johann Coaz mit Jon und Lorenz Ragut Tscharner über den Ostgrat erstmals bestiegen.

Bild links oben: Teleaufnahme der Berninagruppe von Las Trais Fluors [V. Saluver]. Von links nach rechts Bellavista [3922 m], Piz Zupò [3995 m], Piz Morteratsch [3751 m], Piz Bernina, Piz Scerscen [3971 m], Piz Roseg [3920 m].
Bild links unten: Der schönste Grat des Bernina und einer der schönsten der Alpen ist der Crast'Alva [Biancograt]. Von der Tschierva-Hütte führt der Weg über den Tschierva-Gletscher und über steile Firnhänge zur Fuorcla Prievlusa, der tiefsten Einsenkung zwischen Piz Bernina und Piz Morteratsch. Der Blick geht hinüber zum Piz Palü [3905 m], dessen drei markante Nordwandrippen schön im Profil sichtbar sind, zur Bellavista und zum Piz Zupò.
Bilder rechts: Auf der Fuorcla Prievlusa werden die Steigeisen meistens abgezogen, denn nun folgt eine Felskletterei bis an den Beginn des großen Firngrates.

Über den Prievlus-Felsen baut sich in ziemlich genauer Nord-Süd-Richtung die einzigartige Firnschneide des Crast'Alva auf. Bei guten Verhältnissen ist deren Begehung ein wahrer Himmelsspaziergang [Bild rechts].
Der Firngrat endet nicht auf dem Bernina, sondern auf dem Piz Alv [3995 m], einem Vorgipfel, der durch eine Scharte vom Berninagipfel getrennt ist. Die Überwindung dieser Scharte ist oft der schwierigste Teil der Besteigung. Auf dem Bild links ist die Scharte sichtbar. Der linke, niedriger scheinende Felsgipfel ist der Berninagipfel.
Die Traversierung des Bernina über Crast'Alva und Spallagrat bildet eine vollkommene und gerade Überschreitung des Berges von Norden nach Süden.
Die erste Begehung des Crast'-Alva führte Paul Güßfeldt mit Hans Graß und Johann Groß am 12. August 1878 durch.

Der Piz Palü ist von der Nordseite her gesehen ein zauberhaft schöner Berg. Drei Felspfeiler gliedern die gewaltigen Hängegletscher und geben dem Berg eine ausgewogene Architektur. Der Ostgipfel, der ganz auf Schweizer Boden liegt und am leichtesten zu ersteigen ist, hat die Höhenkote 3882 Meter. Der Mittelgipfel, der vom Ostgipfel her über einen scharf geschnittenen, oft verwächteten Grat erreicht wird, ist 3905 Meter hoch, der Westgipfel oder Piz Spinas 3823 Meter. Die Überschreitung der drei Gipfel ist für den geübten Bergsteiger eine lohnende, nicht zu schwierige Tour.
Die Wege über die Nordwandpfeiler sind rassige kombinierte Anstiege von teilweise großer Schwierigkeit.
Der Ostgipfel wurde wahrscheinlich am 12. August 1835 von Oswald Heer, Meuli und P. Flury mit Johann Machutz und dem berühmten Gemsjäger Gion Marchet Colani [dem «König der Bernina»] erstmals bestiegen.
Bild links: Beim Aufstieg zum Palü-Ostgipfel.
Bild rechts: Bergführer Erich Haltiner überspringt einen Spalt im Persgletscher. Einen so weiten Spalt zu überspringen, erfordert Mut und Geschicklichkeit. In der Praxis sind solche Sprünge selten notwendig, am ehesten noch bei der Überwindung des Bergschrundes im Abstieg.

Bild links: Der Ostgipfel des Piz Palü [3882 m] von Osten. Über den Grat links geht der Normalweg von der Schulter her. Der Grat rechts ist der oberste Teil der östlichen Nordwandrippe, die am 22. August 1899 von Moritz Kuffner mit Martin Schocher und Alexander Burgener durchstiegen wurde.
Bilder rechts: Im westlichen Teil der Berninagruppe, unmittelbar am zerrissenen Roseggletscher auf den Felsen «Plattas», liegt die Coaz-Hütte der Sektion Rätia des SAC. Die moderne Hütte mit dem sechzehneckigen Grundriß ist ein Werk des bekannten Hüttenarchitekten Jakob Eschenmoser, der schon mit dem Bau der neuen Domhütte originelle Wege gegangen war.
Blick Rosegtal auswärts [oben]. Abendsonne auf der Coaz-Hütte, im Hintergrund der Abbruch des Roseggletschers [unten].

«O freies Alpenleben…», beginnt ein beliebtes Volkslied. Das Alphirtenleben – einst Inbegriff schweizerischer Lebensform – hat keine große Anziehungskraft mehr. Nur mit Mühe finden Alpgenossenschaften und Private noch Sennen für die Betreuung ihrer Alpen. Das Alphirtenleben ist in der Regel hart und nicht sehr einträglich. Es gibt eine ganze Reihe von kleineren Alpen, die mangels Sennen nicht mehr bestoßen werden können. Die Sömmerung des Rindviehs auf den Alpen spielt aber für die Landwirtschaft immer noch eine bedeutende Rolle.

Herbert Maeder

Bergsteiger werden

Von Westen nach Osten zieht sich die Alpenkette durch die Schweiz. Kein erhöhter Punkt in diesem kleinen Land ist denkbar, von dem bei klarer Sicht nicht Berge zu sehen wären. Von den langgestreckten Jurahöhen geht der Blick über das mit Dörfern und Städten durchsetzte Mittelland und stößt im Südosten an die schneeglänzende Zackenlinie des Alpenkamms. Zahlreich sind die Alpenblickpunkte auch im Norden, Osten und Süden der Schweiz, zahlreich wie die Gasthäuser, die aus dem Umstand ihrer erhöhten Lage ihre Namen ableiten. Wer kennt nicht all die «Alpenblick», «Bellevue», «Rigiblick», «Säntisblick», «Jungfraublick»? Ob Weißenstein, Üetliberg, Randen, Irchel oder Seerücken, der Schweizer, der nicht mitten im Gebirge aufwächst, wächst mindestens in dessen Sichtnähe auf.
Schon im Kind erwacht recht früh eine Neugierde für die fernen Gebirgszüge, die mitten im Sommer noch von Eis und Schnee bedeckt sind. Panoramen, die auf vielen Aussichtspunkten zu finden sind, verraten die Namen der zahlreichen Gipfel. Oft sind es seltsame, oft poetische Namen, welche die kindliche Phantasie anregen.
Schulreise oder Familienwanderung führen früher oder später in die Voralpen, jene dem Hochgebirge vorgelagerten, im Sommer schneefreien Berggebiete, die bereits den vollen Zauber des Gebirges aufweisen. Von der Tiefe des Tales schlängeln sich schmale Weglein durch bewaldete Hänge zu den Alpen empor, wo die Älpler ihre Herden hüten und die Kinder ihre ersten Jauchzer versuchen, weil mit der Bergluft ein eigenes, neues Lebensgefühl über sie gekommen ist. Ist die Wanderung auf der Alp noch nicht zu Ende, wird gar ein richtiger Gipfel bestiegen, mit einem Steinmann darauf oder sonst einem Gipfelsignal, so kennt die Begeisterung keine Grenzen. Der Blick geht hinunter ins Tal, hinaus ins Mittelland. Vielleicht ist der Kirchturm des eigenen Dorfes zu sehen, der Umriß des Städtchens erkennbar. Der Kreis ist geschlossen. Den vielen Blicken hinauf zu den Bergen, die das Verlangen nach ihrer Besteigung weckten, folgt der Blick hinaus in die Welt.
Wenn Bergwanderungen der Leistungsfähigkeit der Kinder angemessen sind, können Eltern oder Lehrer der kindlichen Begeisterung sicher sein. Ich glaube, daß alle Kinder bergbegeistert sind. Mit meinen eigenen und vielen andern Kindern bin ich in den Bergen gewandert. Immer ist mir die Freude der Kleinen ein köstliches Geschenk. Die Kinder erleben die Bergwelt so, wie auch wir Erwachsene sie erleben müßten, gelöst, dem Augenblick zugetan, dem kühlen Wässerchen zur Rechten, das sich mit einigen Steinbrocken zum kleinen See aufstauen läßt, dem Felsblock zur Linken, den man erklettert und wo die Beine so schön hinunterbaumeln können, dem Vieh auf den Weiden, das mit raffelrauher Zunge die Arme der Buben und Mädchen beleckt, den bunten Blumen, die anders sind als im Tal, dem Schneefleck auch, der sich im Schatten der Felswand in den Sommer hineingerettet hat. Kein Stundenprogramm, kein ehrgeiziges Ziel – nur da sein, sich freuen, weil alles so schön und anders ist.

Es gibt allerdings Erwachsene – Eltern und Schulmeister –, die, der schönen Kinderwelt für immer entronnen, wenig Sinn für die Poesie der Bergwelt haben und ihren Sprößlingen Leistungen abverlangen. Ich sah schon Schulklassen in fast militärischer Ordnung, schwitzend und keuchend dem Tagesziel entgegenstreben. Arme Kinder, arme Erwachsene! Keine Zeit fürs Spiel, für die Blumen und Bäume und Tiere. Mit Blasen an den marschungewohnten Füßen erreichen sie abends abgeschunden die Hütte oder den Berggasthof, ein stolzer Vater oder Lehrer voran. So geht es nicht. Denn so werden die Kinder durch Überanstrengung abgestumpft. Die Freude wird getötet. Die Bergerinnerungen werden zum Alptraum. Bergwanderungen mit ganzen Schulklassen können eine gute Sache sein und im jungen Menschen jenes Feuer entzünden, das ihn später zum Bergsteiger macht. Voraussetzung ist allerdings eine Führung, die mit dem Gebirge vertraut ist und weiß, was den jungen Menschen, und zwar den Schwächsten der Gruppe, zugemutet werden kann.

Eine schwere Verantwortung übernimmt, wer Kinder und Jugendliche in die Berge führt, sei es im Sommer zum Wandern oder im Winter zum Skifahren. Daß manche Lehrer, Pfarrer oder andere Leiter von Jugendgruppen sich dieser Verantwortung nur wenig bewußt sind, beweisen die tragischen Unglücksfälle, die immer wieder vorkommen.

Wenn man beobachten kann, wie ganze Schulklassen von Bergwanderungen begeistert sind, müßte man meinen, die Schweizer wären ein Volk von Bergsteigern. Das sind sie aber nicht. Vielleicht eher ein Volk von Bergfahrern? Die üppig aus den Talgründen emporwuchernden Bergbahnen transportieren ja nicht nur die ausländischen Touristen auf Gipfel und Alpen, sondern vor allem die Abkömmlinge jenes Volkes der Hirten, das wir waren, als noch nicht jeder bessere «Hoger» mit einer Bahn «erschlossen» war. Es sei immerhin gesagt, daß nicht nur die Seilbahnen Rekordfrequenzen feststellen, daß vielmehr auch nur zu Fuß erreichbare Berggasthäuser und Berghütten in der Saison überfüllt sind.

Ist die Elementarschulzeit vorbei, bereiten Lehre oder Studium den jungen Menschen aufs Leben vor, wie kann einer da zum Bergsteiger werden, zu jenem von der Gesellschaft oft nicht ganz ernst genommenen «Eroberer des Unnützen», wie der große französische Alpinist Lionel Terray den Bergsteiger so treffend nannte?

Höchst einfach: er steigt in die Berge bei jeder sich bietenden Gelegenheit und gegen alle möglichen Widerstände. Abenteuerlust und Fernweh erfüllen das Herz; auf Wanderungen gewinnt er die Berge lieb; dann aber möchte er die markierten Wege verlassen und sich den steilen und schwierigen Gipfeln nahen, die bisher nur Kulisse seines Wanderns waren. Er sucht die großen Erlebnisse, die aus der Begegnung mit der Natur erwachsen.

Der Wunsch, schwierige Gipfel zu besteigen, bringt für den jungen Menschen und seine Familie Probleme. Im Glücksfall ist der Vater ein erfahrener Bergsteiger, der

Sohn oder Tochter in die Technik und den Geist des Bergsteigens einführen kann. Im Falle ausgesprochenen Pechs sind die Eltern den Gipfelträumen ihrer Kinder abgeneigt. Sie verbieten, gewiß in echter Sorge, das gefährliche Bergsteigen und bewirken mit Verboten nur das Gegenteil von dem, was sie zu erreichen hofften. Zwischen diesen Extremfällen liegen verschiedene Möglichkeiten. Der Schweizer Alpen-Club versucht in seiner Jugendorganisation dem jungen Bergbegeisterten den Weg zu weisen. Buben, vielerorts auch Mädchen, die das fünfzehnte Altersjahr zurückgelegt haben, können auf Touren und an Kursen die Alpintechnik von erfahrenen Bergsteigern erlernen. Die Jugendlichen genießen in den Clubhütten die gleichen Ermäßigungen wie die Vollmitglieder.

Eine Reihe von Bergsteigerschulen, von denen diejenige des Berner Oberländer Führers Arnold Glatthard in Meiringen die bekannteste ist, bieten Ausbildungskurse in Fels und Eis. Der militärische Vorunterricht führt ebenfalls jährlich einwöchige Ausbildungskurse durch. Wer einen erfahrenen Bergsteiger kennt und von ihm auf die ersten Touren mitgenommen wird, hat besonderes Glück.

Auf mancher Voralpenwanderung hatten meine Eltern in mir die Bergbegeisterung geweckt. Von den Gipfeln des Säntisgebiets, deren helle Konturen die grünen Hügelwellen des Appenzeller Landes und des Toggenburgs säumen, blickte ich in die Gebirgsketten der Alpen. Schien der Säntis vom heimatlichen Wil aus der höchste Gipfel der Welt, so sah ich schon als Knabe, daß da im Süden, Osten und Westen unzählige weitere Gipfel sich reihten, breite, eisbedeckte Massive, aber auch dunkle Zacken, von denen viele höher waren als der Säntis. Der Wunsch, diese Gipfel kennenzulernen, wurde mit zunehmendem Alter drängender. Ein Buch in einem Antiquariat aufgestöbert, hat meine erste alpine Tat ausgelöst. Das Buch hieß «Meine Berge», der Autor Louis Trenker. Die Bilder dieses Buches zeigten mir, wie das beim Bergsteigen zu und her geht. Kletterer klebten an senkrechten Mauern oder waren als schwarze Silhouetten in enge Kamine eingezwängt. Eissplitter sprühten unter wuchtigen Pickelhieben durch den dunklen Himmel, durch weiße Hänge und Mulden legten Skifahrer eine Spur. Das Abbild dieser bergsteigerischen Wunderwelt begeisterte mich dermaßen, daß ich nur noch einen Wunsch kannte: all das Gesehene in der Wirklichkeit kennenzulernen.

Ein Nachbar, den ich nicht für einen Bergsteiger hielt, weil er wenig Ähnlichkeit mit dem Pfeife rauchenden und Schlapphut tragenden Trenker hatte, entpuppte sich als ruhiger, erfahrener Alpinist. Er nahm mich mit in die Berge, als ich sechzehnjährig war.

Der Glärnisch war unsere erste Tour. Auf dem Normalweg kein schwieriger Berg, gewiß, aber als Tagestour von Wil aus doch recht anstrengend, zumal wir es uns nicht leicht machten und sowohl den Ruchen-Glärnisch, das Vrenelisgärtli und den Bächistock bestiegen. Kletterei war da wenig dabei, aber der Weg war lang, erforderte Ausdauer. Es gab einen kleinen Gletscher zu queren, der, wie immer im

Herbst, arg zerschrunden war. Ausdauer, Trittsicherheit, allgemeine Eignung für richtige Bergfahrten konnten dabei erprobt werden. Auf ähnlichen Eingehtouren haben die Bergführer der großen Zeit ihre Kunden geprüft, bevor sie mit ihnen schwierige Unternehmen durchführten. Heute noch wird kein verantwortungsbewußter Führer einen Neuling gleich auf große Touren mitnehmen. Der Bergerfahrene sieht bei solchen «Eignungsprüfungen» bald, mit wem er es zu tun hat. Schon im Anstieg vom Tal, der in der Regel auf einem Pfad zur Hütte, dem hochgelegenen Stützpunkt der Tour, führt, beobachtet er seinen Schützling und freut sich, wenn er ruhig und stetig ausschreitet, ohne schon auf dem Weg zu stolpern und auszurutschen. Im weglosen Gelände, an steilen Grashängen, im Geröll, im leichten Fels, auf Schnee und Eis erkennt er, ob sein Bergsteigerneuling jene Eigenschaften besitzt, die auf größern und schwierigeren Touren benötigt werden. Wiewohl Bergsteigen nicht irgendein spezialisierter Sport ist, sondern eine sehr natürliche Betätigung, die an sich den meisten Menschen liegen müßte, gibt es doch große Unterschiede in den Begabungen. Wo der eine sich leicht, anmutig und furchtlos bewegt, ängstigt und verkrampft sich der andere. Dabei spielt, unabhängig von der körperlichen Tüchtigkeit, das seelische Verhalten oft eine ausschlaggebende Rolle.

Die erste Bergfahrt ist entscheidend für die weitere Entwicklung des Bergsteigers. Wurden in ihr die Fähigkeiten bis an den Rand ausgenützt, ja gar überfordert, so stellt sich leicht eine Ernüchterung ein. Der «Chrampf» wird nicht als schön empfunden, der überforderte Körper hindert die Seele an der Aufnahme des Schönen. Wenn aber die erste größere Bergfahrt harmonisch verläuft, die Anforderungen eher geringer sind als die Fähigkeiten, der nicht übermüdete Körper auch die Seele frei und offen hält für die Natureindrücke, so wird die Begeisterung erst richtig entfacht. Mein Nachbar hat mich nach dieser ersten Glärnischtour noch oft mitgenommen. Über die Altenalptürme kletterten wir an einem nebligen Herbsttag. Das war nun richtige, exponierte, wenn auch technisch leichte Felskletterei. Das schönste dabei war: man kletterte am Seil. Anseilen, zum erstenmal am Berg, am Einstieg, wie man jene Stelle nennt, wo die eigentliche Kletterei beginnt, ist eine Verrichtung, die etwas Mystisches, Feierliches an sich hat. Da wird zwischen zwei oder drei Menschen eine Verbindung geknüpft, die zwischen Leben und Tod entscheiden kann. Aus zwei oder drei wird eins, die Seilschaft.

Schwierigere Besteigungen werden in der Regel von Seilschaften durchgeführt. Der Einzelgänger bleibt die Ausnahme, auch wenn in den letzten Jahren von ihm die schwierigsten Touren, wie etwa die winterliche Nordwand des Matterhorns auf neuer Route, durchgeführt wurden. Die Leistungen eines Walter Bonatti in der Matterhorn-Nordwand oder eines Michel Darbellays in der Eigerwand verlangen das Letzte an Mut, Können und Härte und finden wenig Nachahmung. Die Seilschaft bietet nicht nur bei richtiger Anwendung der Seiltechnik mehr Sicherheit, sie

Klettern im Fels.
In welchem Buben steckt nicht die angeborene Lust, hinaufzuklettern, Hindernisse zu überwinden? [Der Bub kann natürlich ebensogut ein Mädchen sein.]
Wahre Meisterschaft setzt aber auch hier immerwährendes Bemühen voraus. Bergführer Eugen Steiger aus Walenstadt, einer der ganz großen Meister im Fels, überwindet eine schwierige Stelle im Kalkfels des Säntismassivs.
Felsklettern läßt sich zwar zum Teil lernen und üben. Große Könner haben aber auch angeborenes Talent.

Bilder links: Griff und Tritt. Das Klettern entwickelt sich aus dem Gehen. Hinaufsteigen ist weniger kraftraubend als Hinaufklimmen mit den Armen. Hände und Arme sind in erster Linie dazu da, den Körper im Gleichgewicht zu halten.

Bild unten: Dem Sechsten Kreuzberg im Säntismassiv ist östlich ein Felsturm vorgelagert, der seiner Form wegen Daumen heißt. Die Erkletterung dieses Daumens über das Rheintaler Egg ist eine kurze, aber äußerst schwierige Kletterei [Schwierigkeitsgrad VI], die sich nur darum ohne Hakenhilfe bewältigen läßt, weil der Kletterer von einem Gratzacken des benachbarten Fünften Kreuzbergs aus von schräg oben gesichert werden kann.

Kletterei am Daumen des Sechsten Kreuzbergs.
Hoch über dem St. Galler Rheintal pendelt der Kletterer durch die Luft, wenn ihn in diesen äußerst schwierigen Metern die Kräfte verlassen oder wenn er eine ungeschickte Bewegung macht. Kraft und

Geschicklichkeit gehören zur Überwindung solcher Kletterstellen zusammen.
Hohe Schule des Kletterns zeigt hier Franz Grubenmann aus dem Säntisgebiet. Der legendäre Meisterkletterer, der ungezählten Menschen aus Bergnot geholfen hatte, verunglückte an einem verhältnismäßig harmlosen Hang tödlich.
Durch einen Spreizschritt gewinnt Franz Grubenmann den Beginn der Daumenkletterei. Das Sicherungsseil geht schräg hinauf zum Westgrat des Fünften Kreuzbergs, wo der sichernde Kamerad hinter einem Felszacken sitzt. Die Kletterei ist vom ersten Meter an schwierig. Der Fels ist abdrängend, Griffe und Tritte sind oft sehr klein. Konzentriert, ruhig, mit der Behendigkeit einer Katze, steigt Franz Grubenmann höher. Er steigt! Das Gewicht des Körpers wird von den Beinen getragen.
Franz Grubenmann ist der einzige mir bekannte Kletterer, der den Daumen, den er Dutzende Male bezwang, normalerweise ohne Sicherung vom Fünften Kreuzberg her kletterte.

Die Frontzacken der Steigeisen verbeißen sich im blanken Eis. Das sichernde Seil läuft durch einen Karabiner, der an einer gut eingedrehten Eisschraube eingeklinkt ist.

entspricht auch mehr dem menschlichen Wesen. Das Gefühl, bei schwieriger Kletterei durch das Seil mit einem Kameraden verbunden zu sein, beglückt. Es gibt für den Bergsteiger kaum ein schöneres Vergnügen, als im warmen Fels auf schmalem Standplatz das Seil zu bedienen. Nach den reinen Felstouren der Voralpen lockten dann bald die kombinierten Fels-Eis-Touren des Hochgebirges. Die klettertechnischen Schwierigkeiten dominierten hier nicht. Aber die Touren wurden länger, anstrengender und gefährlicher. Man verließ die Hütte oft schon kurz nach Mitternacht, um steinschlaggefährdete Zonen noch vor Sonnenaufgang zu queren. Die Wetterverhältnisse begannen eine viel größere Rolle zu spielen als in den reinen Felsbergen. Neuschneefall in der Nacht konnte die Tour verunmöglichen, plötzlich eintretende Kälte eine sonst gefährliche Fahrt erleichtern. Immer blieb das Seil ein wunderbarer Nerv, der mit dem Kameraden verband. Das Seil machte uns stärker und mutiger. Das Seil ist nicht ein romantisches Zubehör zur Dekoration des Rucksacks, obwohl gewisse Bergsteiger durchaus diesen Eindruck erwecken könnten. Das Seil ist zum Sichern da, manchmal auch zum Abseilen. In den eigentlichen Felsklettergebieten wird eine gute Sicherungstechnik besser erlernt und auch dringender gebraucht als auf vielen Hochtouren, wo selbst bei Bergführern dann und wann seltsame Vorstellungen von Sicherung bestehen. Sicherung ist es nicht, wenn zwei Bergsteiger einfach am Seil hintereinander herlaufen oder klettern. Gleitet einer aus, so reißt er ziemlich sicher den Kameraden in den Abgrund mit.

Im Fels ist die Zweierseilschaft der Normalfall. Sie ist beweglicher als eine Dreierseilschaft. Noch größere Seilschaften kommen für schwierige und lange Touren nicht in Frage, es sei denn, daß zwei Seilschaften an einer besonders schwierigen Passage zusammenspannen. Wenn der Seilerste im schwierigen Fels oder Eis aufsteigt, wird er von seinem Kameraden gesichert. Damit aber der Kamerad wirksam sichern kann, muß er selbst gesichert sein. Diese Selbstsicherung des Sichernden ist eine wichtige Sache, der große Aufmerksamkeit zu schenken ist. Selbstsicherungen lassen sich an festen Felszacken und Blöcken oder aber mit Hilfe von Mauerhaken und Eisschrauben erstellen. – Die Sicherungstechnik hat in den letzten Jahren Fortschritte gemacht. Es gibt heute bedeutend mehr Bergsteiger als noch vor zwanzig Jahren, die schwierigste Besteigungen durchführen. Es gibt daher auch mehr Erfahrungen, die sich der Kletterer zunutze machen kann und soll. In den ersten vier Jahrzehnten dieses Jahrhunderts, als in den östlichen Kalkalpen, etwa im Wilden Kaiser, im Karwendel, in den Dolomiten oder aber in den Urgesteinsnadeln des Mont Blanc schon Klettereien der höchsten Schwierigkeitsgrade unternommen wurden, blieb es in den Bergen der Schweiz, von wenigen Ausnahmen abgesehen, still. Der Schweizer Bergsteiger fand im allgemeinen nicht Geschmack an den senkrechten Wänden und Pfeilern, er zog die leichteren Aufstiege, vor allem die Grate, vor. Das will nichts sagen gegen die Schweizer Bergsteiger, unter denen es immer ganz große Könner gegeben hat, aber es erklärt, warum unser zentrales Alpenland in der Entwicklung der Alpintechnik keinen großen Anteil hat. Das sportliche Felsklettern wurde von weiten Kreisen des Schweizer Alpinismus lange eher abgelehnt, und gegen eine Skala der Schwierigkeitsgrade hat man ausgiebig gewettert. Nun, das hat sich gründlich gewandelt. Es ist erstaunlich, was in den vergangenen zwanzig Jahren von Schweizer Alpinisten im eigenen Lande wie in den Bergen der weiten Welt geleistet wurde. Ich denke da an Expeditionen zu Everest, Dhaulagiri, Pumori und anderen großen Bergen sowie auch an schwierige Besteigungen in den Alpen. Die Berge der Schweiz galten im Sinne des klassischen Alpinismus, das heißt eines Bergsteigens mit nur geringen technischen Hilfsmitteln zu Sicherungszwecken, Ende der dreißiger Jahre als erschlossen. Eine neue Bergsteigergeneration hat aber in den Jahren seit 1945 eine zweite Erschließungsperiode eingeleitet, die vor den steilsten Wänden und Kanten nicht haltmachte. Einige prächtige Klettergebiete, wie etwa die Churfirsten über dem Walensee, wurden überhaupt erst in den Nachkriegsjahren entdeckt.

Ein junger Mensch mit seinem natürlichen Bewegungs- und Betätigungsdrang, der einmal den Zauber des Bergsteigens erfahren durfte, wird seine körperlichen und seelischen Kräfte immer mehr entwickeln, um auch schwierigen Fahrten gewachsen zu sein. Nur der trainierte Körper empfindet lange und schwierige Touren als Genuß – und ein Genuß soll das Bergsteigen immer bleiben, ein befreiendes Spiel in der schönsten aller Welten.

Bergsteigen als selbstmörderischer «Kampf um den Berg», das ist psychische Krankheit oder Aufschneiderei. Es ist Zeit, daß man aufhört, im Zusammenhang mit alpinistischen Leistungen dauernd von Kampf und Sieg, Bezwingung und Eroberung, von Todeswänden und mörderischen Bergen zu schreiben. Nicht nur Boulevardblätter bedienen sich dieses Jargons, er ist auch in manchen Bergbüchern zu finden. Nicht ganz zufällig wurde diese Sprache in der Zeit des Faschismus geschätzt. Helden waren damals gefragt, und ihre Taten leuchteten um so heller, je finsterer die böse Bergnatur und je drohender die Schwierigkeiten und Gefahren geschildert wurden. Der Mensch als Sieger und Bezwinger in den Bergen! Wie anmaßend und wie lächerlich. Er soll sich des herrlichen Spielplatzes erfreuen und dankbar sein, wenn er auf schwierigen oder leichten Touren die Natur dort erleben darf, wo sie uns noch in ihrer ganzen Schöpfungspracht geschenkt ist.

Herbert Maeder

Die Gefahren des Bergsteigens

«Das Leben aufs Spiel setzen, das ist primitiv und verhängnisvoll. Man vergesse nie, daß man Leib und Seele nur einmal verlieren kann.»
Gaston Rébuffat

Ist das Bergsteigen gefährlich? Stellen wir dem Nichtbergsteiger diese Frage, so wird er sie immer mit Ja beantworten. Bergsteigen, das ist für viele Menschen gleichbedeutend mit Leben-aufs-Spiel-Setzen, ist Vabanquespiel, Verantwortungslosigkeit. Jede Unfallmeldung im Radio und in der Zeitung gilt als Beweis, daß die Bergsteigerei samt und sonders verwerflich und nur der Spaziergang auf sicherm Weglein nicht lebensgefährlich sei. Der Bergsteiger wird die Frage differenzierter beantworten. Vom klaren Ja bis zu «nicht gefährlicher als Autofahren» oder «leben ist immer lebensgefährlich» gibt es eine Menge von Möglichkeiten. Die Frage ist eine Provokation. Sie verallgemeinert. Aber sie sei am Anfang erlaubt.
Ich denke an gute Freunde, an Kameraden, die mit mir in die Berge stiegen und die heute nicht mehr leben, weil die Gefahren stärker waren als sie. Ich glaube, wenn ich an all die prächtigen, gut trainierten und gut ausgerüsteten Menschen denke, die nie mehr den sonnenwarmen Fels greifen, nie mehr die schneidendkalte Luft beim nächtlichen Weggang von der Hütte atmen werden, daß Bergsteigen gefährlich ist. Die Behauptung, Bergsteigen sei ungefährlich, ist Selbstbetrug. Wer das Bergsteigen für ungefährlich hält, wird kaum seine ganze Aufmerksamkeit für das Erkennen und Beurteilen der Gefahren einsetzen können. Rechtzeitiges Erkennen und richtiges Beurteilen der Gefahr sind aber die Mittel, die es uns erlauben, ihr zu begegnen. Je klarer die Erkenntnisfähigkeit ist, desto ungefährlicher wird das Bergsteigen. Erkenntnisfähigkeit aber muß der Bergsteiger sich aneignen: durch Studium von Literatur und durch aufmerksames Beobachten im Gebirge.
Zweierlei Gefahren bedrohen den Menschen beim Bergsteigen. Erstere sind die Gefahren, die aus der Natur der Berglandschaft erwachsen, wie Steinschlag, Lawinen, Eisabbruch, Wettersturz; es sind Gefahren vom Objekt her, also objektive Gefahren. Die zweite Kategorie von Gefahren hat ihren Ursprung im Menschen, im Subjekt, es sind die subjektiven Gefahren: mangelhafte Ausrüstung, Fehleinschätzung von Schwierigkeiten, falscher Ehrgeiz. Genaues Studium der Gegebenheiten und Erfahrung, erworben auf vielen Bergtouren, erlauben es dem vorsichtigen Alpinisten, die objektiven Gefahren auf ein Mindestmaß einzuschränken. Die subjektiven Gefahren aber lassen sich fast ganz beseitigen. Der Bergsteiger kann nicht genug kritisch sich selbst gegenüber sein. Überschätzen der eigenen Fähigkeiten führt leicht zu Katastrophen. Völlig unverschuldete Unfälle sind in den Bergen selten.

Die objektiven Gefahren

Objekt ist der Berg, dieses herrlich aufgeschichtete Stück unproduktiven Landes, dem Menschen geschenkt als eine der letzten Oasen der Stille, der Schönheit und des Abenteuers. Weit leuchten die eisüberzogenen Hochgebirgsgipfel in das grüne Mittelland hinein, bis zu den Jurahöhen, während die reinen Felsberge mehr aus der Nähe durch die Schönheit und Kühnheit ihrer Formen auffallen. Fels, Schnee und Eis sind die Baustoffe der Gebirge. Sie bestimmen zu einem wichtigen Teil die Formen der Gipfel, und aus ihren Schichtungen und Strukturen ergeben sich auch die wesentlichsten alpinen Gefahren: Felsausbruch, Steinschlag, Lawinen, Eisschlag, Gletscherspalten.

Der Fels. Wer wandernd die Berge kennenlernt, staunt über die kühnen Formen der Felsberge. Zacken und Nadeln ragen gegen den Himmel, und Mauern türmen sich auf, vor denen alles Menschenwerk klein bleibt. Wer kletternd die Felsberge ersteigt, lernt das Material Fels von nahe und handgreiflich kennen. Auch wenn er nichts von Gesteinskunde weiß, spürt und sieht er den Unterschied zwischen dem rauhen, festen Bergeller Granit und dem bröckligen Schiefer des Ringelspitz, zwischen den massiven Kalkfelsen der Gastlosen oder der Kreuzberge und dem brüchigen Hochgebirgskalk des Eigers. Brüchiger Fels ist dem Kletterer ein Greuel, im festen Fels fühlt er sich sicher und wohl. Warum läßt er denn die brüchigen Felsen nicht einfach sein? Weil einige ganz besonders schöne und attraktive Gipfel aus brüchigem Gestein gebaut sind und weil es auch in Routen aus festem Gestein kurze brüchige Partien geben kann. Der Bergsteiger muß also lernen, auch in brüchigem Fels sicher zu klettern. Er darf Griffe und Tritte nie auf Zug belasten, sondern nur ganz sorgfältig auf Druck. Sauber klettern lernt man im nicht zu schwierigen, brüchigen Fels am besten. Wer sorgfältig und sauber klettert, der geht nicht nur sicher für sich, er gefährdet auch nicht weiter unten kletternde Kameraden. Von Kletterern losgelöste Steine bilden in viel begangenen Gebieten eine Gefahr, die schlimmer ist als alle objektiven Gefahren.
Nicht nur als brüchig bekannte Kletterwege erfordern Vorsicht. Auch die Felsen der als solid bekannten Routen sind den großen Temperaturschwankungen und den Niederschlägen ausgesetzt, auch sie verwittern. Der Kletterer hat vor der Belastung jeden Griff und Tritt zu prüfen. Das geschieht bei den Tritten, die ja das ganze Körpergewicht zu tragen haben, durch ein kurzes Anschlagen mit dem Sohlenrand, bei den Griffen durch eine Probebelastung, solange die Füße noch ihren Stand und die andere Hand einen sichern Griff haben. Nicht nur Griffe und Tritte können ausbrechen und so den Absturz des Bergsteigers verursachen. Auch größere Blöcke und Platten können, wenn sie lose sind, ihr Gleichgewicht verlieren und den Kletterer mit in die Tiefe reißen. Es ist erstaunlich, wie labil oft gewaltige, tonnenschwere Blöcke auf ihrer Unterlage ruhen. Wasser, das in die Felsritzen dringt und immer wieder gefriert und auftaut, übt eine gewaltige Sprengwirkung aus.
Von der Felsqualität und Struktur wird auch das Klettern mit künstlichen Hilfsmitteln beeinflußt. Es gibt Felsen, wo jeder Haken singend zum Sitzen kommt und Stürze kein großes Risiko sind, während in andern, schlecht geschichteten und brüchigen Felsen ganze Hakenreihen bei einem Sturz herausgerissen werden: Reißverschlüsse nennen Extremkletterer diese Erscheinung. Wichtig ist hier wie auch

beim freien Klettern, daß die Standsicherung hundertprozentig sicher ist: sicherer Zacken, Block oder zuverlässiger Haken. Der Ausbruch von Griffen und Tritten ist eine in den Unfallchroniken immer wiederkehrende Absturzursache. Diese objektive Gefahr läßt sich durch große Vorsicht und ganz einwandfreies Klettern – immer drei feste Punkte – stark vermindern.

Steinschlag bedroht den Bergsteiger vor allem in Rinnen und Runsen sowie in eisdurchsetzten Fels- und felsdurchsetzten Eisflanken. Angefrorene Steine lösen sich bei Sonneneinstrahlung oder allgemeiner Erwärmung. Sie sammeln sich in den Rinnen und Trichtern und lösen je nach der Menge des herumliegenden Schuttes manchmal ganze Steinlawinen los. Die ununterbrochene Verwitterung des Gesteins sorgt für immer neuen Nachschub. Es ist betrüblich, daß in jedem Jahr Bergsteiger Opfer des Steinschlags werden. Der Steinschlag ist nicht einfach ein Schicksal, dem der Alpinist nun einmal ausgesetzt ist. Der Steinschlag ist eine Naturerscheinung, die der Bergsteiger durch Beobachtungen kennenlernen muß. Bald einmal wird er wissen, wo Steinschlag zu erwarten ist und wo nicht. Bei der Planung einer Tour soll er steinschlaggefährdete Routen überhaupt weglassen. Wenn es steinschlaggefährdete Zonen zu queren oder zu durchsteigen gilt, soll dies nach Möglichkeit vor Sonneneinstrahlung geschehen. Steinschlaggefährdete Routen, wie es viele Nordwände sind, sollen nicht ohne Steinschlaghelme durchstiegen werden. Die leichten und praktischen Plastikhelme, über die vor wenigen Jahren in manchen Bergsteigerkreisen noch gespottet wurde, haben sich bei den Alpinisten schärferer Richtung längst eingebürgert. Sie haben schon manchem das Leben gerettet und wären auch auf manchen normalen Hochtouren nur zu empfehlen.
Auf Graten gibt es keinen Steinschlag. Diese naturgegebenen Himmelsleitern können als Aufstiegsrouten nicht genug empfohlen werden. Auch in sehr steilen Felswänden ist der Kletterer in der Regel vor Steinschlag sicher. Die Steine pfeifen draußen in der Luft an ihm vorbei. Besonders gefährlich sind Aufstiege, die als Rinnen die Bergflanken durchziehen und die der geringeren Schwierigkeiten wegen einem steilen Grat oder einer senkrechten Wand vorgezogen werden. Das technisch Leichtere ist da oft das Gefährlichere. In den Zeiten größter Temperaturunterschiede zwischen Tag und Nacht, im Sommer, ist die Steinschlaggefahr erhöht. In den Zeiten der geringsten Schwankungen, im Winter, sinkt sie fast auf Null ab. Im Sommer extrem gefährliche Routen können im Hochwinter ohne jeden Steinschlag gemacht werden. So hat zum Beispiel die Seilschaft Paul Etter / Ueli Gantenbein / Sepp Henkel beim erstmaligen Abstieg durch die für Steinschlaggefahr berüchtigte Nordwand des Eigers Ende Dezember 1963 kein loses Steinchen gehört oder gesehen. Winterbesteigungen sehr schwieriger Routen, wie sie in den letzten Jahren bei den jungen Bergsteigern stark aufgekommen sind, bringen nicht nur größere Strapazen und Schwierigkeiten, sondern auch geringere Steinschlaggefahr mit sich.

Schnee und Eis. Der Flachländer, der zum erstenmal im Sommer in die Hochgebirgsregion kommt, etwa aufs Jungfraujoch, ist überrascht und entzückt, in der heißesten Zeit, wenige Kilometer vom Badestrand entfernt, Schnee und Eis in gewaltigen Mengen zu sehen. Auch der Bergsteiger erlebt diesen Wechsel der Szenerie und des Klimas immer wieder mit Spannung, Staunen und Freude. Sämtliche Niederschläge fallen in Höhen von über 3500 Meter in Form von Schnee. Schon auf Säntishöhe, 2501 Meter, fallen nur noch 25 Prozent des Jahresniederschlags als Regen. Auf 2500 Meter Höhe liegt in unsern Breitengraden die Ewigschneegrenze. Auch der heißeste Sommer vermochte die Schneefelder am Säntis nie wegzuschmelzen. Der Schnee, der Sommer und Winter in unsern Hochgebirgsregionen fällt, nährt die Gletscher, die von den hohen Gipfeln unserer Berge niederfließen und weit über den Bergsteigerkreis hinaus so etwas wie ein nationales Idol darstellen.
Der Schnee gewinnt als ein in den Höhen allgegenwärtiges Element für den Bergsteiger große Bedeutung. Schnee, das ist nicht nur leichtes, stiebendes Pulver, in das wir so gerne mit den Ski unsere Spuren zeichnen und das uns für den fünfstündigen Aufstieg mit einer halben Stunde Abfahrt belohnt. Schnee, das sind auch die Lawinen und Schneebretter, diese großen Gefahren; das ist das Eis in den Felsen und die trügerische Brücke über dem kirchturmtiefen Gletscherspalt.
Schnee, was ist das überhaupt? Kristallisiertes Wasser, gewiß. Prof. Dr. W. Paulcke, ein großer Schneeforscher, nennt in seinem immer noch unerreichten Gefahrenbuch Schnee ein Gestein, wie das Eis, wenn auch ein sehr rasch wandelbares, vergängliches. Diese Deutung hat etwas Bestechendes, denn es lassen sich mit ihrer Hilfe eine ganze Reihe für den Bergsteiger sehr bedeutungsvoller Vorgänge erklären. Das Gestein Schnee besteht aus Mineralien, nämlich aus Eiskristallen. Diese Mineralien werden, wie anderes Mineralmaterial, in Schichtenform abgelagert. Nach der Ablagerung des Schnees gehen in diesen Schichten Veränderungen vor. Beweglichkeit und Dichte vermindern oder erhöhen sich. Die Beschaffenheit des Schnees und die Form des Geländes, wo der Schnee sich ablagert, bestimmen die Gefahren, die dem Bergsteiger vom Schnee her drohen.

Lawinen und Schneebretter gefährden jedes Jahr viele Menschenleben in den Alpen. Neben Einheimischen in Berggebieten und Arbeitern auf hochgelegenen Baustellen, vor allem im Kraftwerk- und Stollenbau, sind es Skifahrer und Alpinisten, die dem Schneetod zum Opfer fallen. Während der Pistenfahrer in der Regel sicher und unbeschwert seine Winterfreuden genießen kann, ist der Tourenfahrer immer von den Gefahren des Schnees umlauert. Auch hier heißt das Mittel, der Gefahr zu begegnen: die Gefahr kennenlernen. Der Bergsteiger, der im Winter und im Frühjahr, oft sogar im Sommer, mit den Ski ins Gebirge zieht, muß nicht nur tadellos ausgerüstet sein, er muß auch etwas wissen vom Schnee und den Geländeformen und wie sich diese zueinander verhalten. Es genügt nicht, vor Antritt einer Tour den

Lawinenbericht des Schnee- und Lawinenforschungsinstituts Weißfluhjoch zu hören und, wenn dieser gut ist, zu glauben, man sei nun vor allen Gefahren sicher. Die Berichte vom Weißfluhjoch sind sehr wertvolle Hinweise, die es richtig auszuwerten gilt. Der Bergsteiger darf aber nie vergessen, daß bei starkem Schneefall oder bei plötzlich eintretender Erwärmung die Schneeverhältnisse in wenigen Stunden ändern können. Falsch ist auf jeden Fall, die Warnungen des Instituts nicht zu beachten. Diese Warnungen gründen sich auf exakte Beobachtungen und Erfahrungen. Auf Anfrage ist vom Institut auch eine Lokalprognose erhältlich.
Bei allgemeiner, großer Lawinengefahr Skitouren zu unternehmen, ist selbstmörderisch. Eine allgemeine Lawinengefahr zeigt sich gern, wenn große Neuschneemengen unter starkem Windeinfluß fallen. Sie kann aber auch lange Zeit nach dem Schneefall, allein durch Windeinfluß, entstehen. Der Wind ist der große Spielverderber des Skialpinisten. Er verfrachtet in kurzer Zeit ungeheure Mengen Schnee, die, ohne Bindung zur Unterlage, beim geringsten Anlaß losbrechen.
Bei solch allgemeiner Lawinengefahr wird kein vernünftiger Mensch unterwegs sein. Gefährlicher für den Bergsteiger ist die teilweise Lawinengefahr, die, solange Schnee in den Bergen liegt, nie ganz auszuschließen ist. Durch das Studium des Schneeprofils werden die Zusammenhänge, die zu Lawinen führen, klar. Der Bergsteiger muß bei der Beurteilung der Schneeverhältnisse in Schneeprofilen denken. Die Vorgänge, die zu Lawinen führen, spielen sich nicht auf der Schneeoberfläche ab. Selbst tüchtige Bergsteiger wissen oft erstaunlich wenig vom Wesen des Schnees. Dabei kommt es auf dieses Wissen sehr an, es kann über Leben und Tod entscheiden. Wo die Niederschläge das ganze Jahr in Form von Schnee fallen, hört auch die Lawinengefahr nie auf. Mitten im Sommer haben Lawinen in den Bergen ihre Opfer gefordert. Nach Schlechtwetterperioden besteht auch im Sommer oft eine außerordentliche Lawinengefahr. Der Neuschnee liegt auf glatten Felsen und festen Firn- und Eisschichten. Bei der Erwärmung entsteht durch das Schmelzwasser eine ideale Schmierschicht. Eine der größten Katastrophen in der Geschichte des Alpinismus, der Absturz von fünf Bergführern und neun Bergführerkandidaten an der Aiguille-Verte am 7. Juli 1964, hatte ihre Ursache im Abgleiten eines Schneebretts.

Wächten. Wenn der Wind den Schnee über Kämme, Grate und die Ränder von Hochplateaus bläst, bilden sich Schneefahnen. Es «guxt», sagt der Bergsteiger, wenn er am klaren, dunkelblauen Himmel die helleuchtenden Schneefahnen erblickt. Wo es guxt, wird Schnee verfrachtet, und auf den Windschattenseiten bilden sich Wächten, diese für das Auge so schönen, oft weit überhängenden Schneegebilde, die dem Bergsteiger sehr gefährlich werden können. Weil bei Schneefall in unsern Alpen die Winde fast immer aus Richtung Südwest bis Nordwest blasen, hängen die Wächten meist nach Richtung Ost und Nordost über. Ziemlich selten, bei stark wechselnden Winden, entstehen Wächten auf beiden Seiten eines Grates. Wächten sind einerseits für den Bergsteiger eine direkte Gefahr – sie können beim Betreten abbrechen –, andrerseits zeigen sie immer auch eine Gefahr an: die Ansammlung von Triebschneemengen in den überwächteten Windschattenhängen, somit eine große Lawinengefahr. Das Betreten von Wächten führt in jedem Jahr zu schweren Unfällen. Heimtückisch ist dabei der Umstand, daß Wächten oft nicht als solche erkannt werden. Wenn der Bergsteiger auf einen Gipfel kommt, fühlt er sich nach einem steilen Anstieg auf der schönen, fast ebenen Gipfelfläche sicher und wohl. Er kann sich nicht vorstellen, daß diese schöne Fläche wie ein Balkon über dem Abgrund hängt und daß der sichere, feste Gipfel in Wirklichkeit nur ein schmaler Grat ist. Besonders wenn der Aufstieg über die der Wächte entgegengesetzte Seite erfolgte und der gefährliche Schneeschmuck nie zu sehen war, tritt diese Täuschung leicht ein. Nebel und Schneetreiben können die Sicht auf wenige Meter beschränken und die Gefahr, auf Wächten zu treten, mit ihnen abzustürzen oder über sie hinauszugehen, stark erhöhen. Aufstiege durch Nord- und Ostflanken liegen oft im Abbruchbereich überhängender Wächten. Der Grad dieser Gefahr hängt von der Mächtigkeit der Wächte und von den Wetterverhältnissen ab. Wächten müssen bei solchen Aufstiegen manchmal abgeschlagen oder durchbohrt werden, wenn der Gipfel erreicht werden soll. Diese gefährliche Arbeit darf nur unter bester Sicherung verrichtet werden.

Eislawinen und Eisschlag. Wo Gletscher oberhalb steiler Felsstufen abbrechen und uns ihr gleißendes, blaugrünes Eis in aller Mächtigkeit zeigen, in diesen Zonen phantastischer landschaftlicher Schönheit entstehen die Eislawinen. Sie donnern nieder, wenn gerade die Bewegung des Gletschers ihren kritischen Punkt erreicht hat, im Sommer oder im Winter, bei Nachtkälte oder Mittagssonnenschein. Wo Eislawinen drohen, gibt es keinen Schutz, keine Taktik, die Gefahr zu umgehen. Sonneneinstrahlung spielt nur bei kleineren Eisabbrüchen eine Rolle. Diese kleineren Abbrüche sind ja immerhin gefährlich genug, so daß wir ihre Gefahrenzone nachts oder morgens früh durchqueren. Nie aber soll der Bergsteiger sich sicher wähnen, nur weil die Temperatur unter dem Gefrierpunkt liegt. Er soll die Eisschlaggefahr meiden. Wo sie sich nicht umgehen läßt, soll er die Gefahrenzone so schnell wie möglich hinter sich bringen und, sofern es die Spaltengefahr erlaubt, unangeseilt und in wenigstens fünfzig Meter Abstand zu seinen Kameraden. Gewisse Aufstiege, wie zum Beispiel den «Korridor» auf den Grand Combin, wo der Bergsteiger auch bei besten Schneeverhältnissen eine gute Stunde der Eisschlaggefahr ausgesetzt ist, meiden kluge Bergsteiger. Gerade dieser Aufstieg wird aber von vielen ohne jede Gefahrenahnung als Genußskitour durchgeführt.

Gletscherspalten. Flaumleichter Schnee verwandelt sich zu Firn und kompaktem Eis, das als Gletscher Mulden und Täler zwischen den Hochgebirgsgipfeln bedeckt. Die größten und längsten Gletscher haben heute noch Ausmaße, die uns einen Eindruck von der eiszeitlichen Schweiz geben. Der Aletschgletscher ist 26 Kilometer lang und durchschnittlich 250 Meter dick. Beim Konkordiaplatz hat er eine Eisdicke von 600 bis 800 Meter. Durchschnittlich bewegt sich der Aletschgletscher 40 bis 60 Zentimeter im Tag, 180 bis 200 Meter im Jahr talwärts. Der Unteraargletscher ist mit 16 Kilometer Länge der zweitlängste Schweizer Gletscher, gefolgt von Gorner- und Fieschergletscher mit je 15 Kilometer.

Die Gletscher sind, je nach der Beschaffenheit ihres Felsenbettes, mehr oder weniger zerrissen. Die großen Gletscher bewegen sich mit einer durchschnittlichen Geschwindigkeit von 40 Zentimeter im Tag talwärts. In der Mitte des Gletschers ist die Bewegung am raschesten, gegen den Rand nimmt sie ab. Die so entstehende Spannung führt zu Bildung der Randspalten. Querspalten entstehen dort, wo der Felsuntergrund auf kürzere Strecken ein stärkeres Gefälle aufweist; Längsspalten bilden sich hauptsächlich am Gletscherende, wenn das Bett des Gletschers breiter wird und das Eis sich seitwärts ausbreiten kann. Über steilen Felsstufen zerreißt der Gletscher ganz. Es entsteht ein Chaos von Eistürmen, Wänden, Spalten und Zakken: der Gletscherbruch. Gletscherbrüche sind meist schwierig zu begehen, hier droht immer Eisschlaggefahr. Eine besondere Art von Querspalten sind die Randklüfte oder Bergschründe. Sie entstehen dort, wo die steilen Firn- und Eishänge oder Felswände an die flacheren Firnmulden grenzen. Im Gegensatz zu den ruhenden Felsen oder den sich kaum bewegenden Firn- und Eisschichten der Steilflanken setzt hier unvermittelt die Gletscherbewegung ein.

Der schneefreie, apere Gletscher, wie er sich im Hochsommer und Herbst in tieferen Lagen zeigt, birgt für den geübten Bergsteiger wenig Gefahren. Der feine Schutt, der sich auf dem Eis einfrißt, erleichtert dessen Begehung und macht oft Steigeisen überflüssig. Gefährlich ist der verschneite Gletscher. Die Spalten sind mit Neuschnee trügerisch überbrückt. Erfahrene Bergsteiger können wohl aus der Form des Gletschers besonders gefährliche Zonen ersehen, ein sicheres Erkennen aber gibt es hier nicht. Wie denn sonst wäre ein Unglück zu verstehen, dem ein so erprobter Alpinist wie der Franzose Louis Lachenal, Besteiger des ersten Achttausenders, zum Opfer fiel? Lachenal fuhr auf seinen Ski das Vallée Blanche [Mont Blanc] hinunter – eine Abfahrt, die von Tausenden ohne Seil gemacht wird und als besonders schöne Hochgebirgsabfahrt gilt –, als auf weitem, harmlos scheinendem Abhang sich unter den Ski ein Abgrund öffnete. Eine unheimliche Längsspalte wurde zum kalten Grab eines Mannes, der in den Bergen heimisch war wie wenige. Lachenal ist nicht der erste, vielleicht aber der berühmteste Alpinist und Bergführer, dem der verschneite Gletscher zum Verhängnis wurde. Eines der wichtigsten alpinen Gebote heißt: Auf verschneiten Gletschern immer anseilen, wenn möglich Dreier- oder Viererseilschaft! Es ist nicht abzuschätzen, wie viele Bergsteiger ihr Leben dem strikten Befolgen dieses Gebotes verdanken. Wenn Bergsteiger zu Fuß, ohne Ski, auf verschneiten

Bild oben: Sturm und Kälte – erhöhte Gefahr.
Bild unten: Wächten – vor allem bei schlechter Sicht –, eine große Gefahr.

Gletschern unterwegs sind, halten sie sich in der Regel an das Gebot der Seilsicherung. Das ändert sich oft, wenn die verschneiten Gletscher auf Ski begangen werden. Die Einbruchgefahr ist mit Ski geringer, weil das Gewicht ja auf die ganze Skifläche verteilt wird. Eine wenn auch verminderte Gefahr bleibt aber trotzdem noch eine Gefahr. Manche Alpinisten seilen sich zwar für einen Gletscheraufstieg an, wollen aber die Abfahrt ohne Seil genießen. Das Abfahren am Seil setzt eine homogene Seilschaft voraus, welche die Skitechnik bei allen Schneeverhältnissen beherrscht. Eine Seilschaft, die schlecht fährt und Stürze provoziert, ist womöglich mehr gefährdet als eine Gruppe, die ohne Seil, aber leicht, ohne gewaltsame Belastung der Schneebrücken, den Gletscher befährt. Gletscherabfahrt ohne Seil – das ist ein ganz schwerwiegendes Problem. Theorie und Praxis geraten hier oft stark in Widerspruch. Es gibt erstklassige Bergführer, die an Kursen streng für das Gebot «Nur am Seil» eintreten, sich bei ihren privaten Touren jedoch nicht daran halten. Manche Faktoren müssen berücksichtigt werden: die Beschaffenheit des Gletschers, des Schnees, der Grad der Einschneiung, die alpin- und skitechnischen Fähigkeiten der Kameraden, die Kenntnisse des Gebiets, die Sichtverhältnisse. Anseilen oder nicht, das kann eine Entscheidung über Leben und Tod sein, und dies sollte kein Bergsteiger vergessen. Unnötig zu sagen, daß Anseilen hier korrektes Anseilen heißt, mit «Gstältli» oder Klettergürtel, genügend Seilvorrat beim Seilschaftsersten und -letzten und am Seil befestigte Steigschlingen [Prusik-Knoten, Steigklemmen].
Seil- und Bergbahnen, die in die Gletscherregionen hinaufführen und dem Skivolk, das zum kleinsten Teil aus Bergkundigen besteht, Gletscherabfahrten anbieten, gefährden Tausende Menschen aufs schwerste. Wo ein Louis Lachenal die Gefahr nicht erkennen konnte, wie sollen da bergunerfahrene Pistenfahrer die Gefahren erkennen? Jede Gletscherabfahrt, wenn es sich nicht um relativ harmlose Firnflächen handelt, birgt Gefahren, auch wenn ein Pistendienst die Abfahrtsstrecke beaufsichtigt und Stangen die beste und sicherste Route markieren.
Von Seil- und Bergbahnen unberührte Gipfel werden heute mit Gletscherflugzeug und Helikopter angeflogen. Skifahrer ohne alpinistische Erfahrung können so in den Genuß der längsten und schönsten Gletscherabfahrten kommen. Mit Unbehagen sieht der Bergsteiger diese modernste Form des Hochtourismus sich ausbreiten. Nicht nur Lärm und Betrieb in bisher einsamen, stillen Regionen sind die Folge, auch erhöhte Unfallgefahr für die Flugtouristen. Ungelenk, ohne den Körper durch mehrstündigen Aufstieg warm und elastisch gelaufen zu haben, entsteigen die Gipfelflieger der Kabine ihres Flugzeugs, um lange, oft spalten- und lawinengefährliche Abfahrten anzutreten. Selten tragen sie jene Ausrüstung bei sich, die für den Skibergsteiger selbstverständlich ist.

Wettersturz. Plötzlich eintretende Wetterverschlechterungen bringen Jahr für Jahr Bergsteiger in Not. Das Wetter ist ein launischer und schwerberechenbarer Partner

Bild unten: Massenaufstieg zum Monte Rosa. Solch eng aufgeschlossenes Gehen auf verschneitem Gletscher widerspricht der Vorsicht und den allgemeinen Sicherungsgrundsätzen.

Bild rechts: Neuschneelawine in der Nordflanke des Säntis. Die Lawinengefahr ist im Hochgebirge nicht auf den Winter beschränkt. Wo die Niederschläge das ganze Jahr in Form von Schnee fallen, hört diese heimtückische Gefahr nie auf.

HB-XAR
HELISWISS

Bild oben: «In den Bergen vermißt!» Suchmannschaft mit Funkgerät im Gebiet des Galenstocks.
Bild unten: Helikopter und Flächenflugzeug wurden in den letzten Jahren bei Rettung aus Bergnot immer mehr eingesetzt. Bei schlechtem Wetter sind jedoch die Einsatzmöglichkeiten beschränkt, und darum kann auf die zu Fuß aufsteigende Rettungskolonne nicht verzichtet werden. Auch die Rettung aus schwierigem Gelände setzt immer noch eine technisch gut geschulte «Boden»-Mannschaft voraus.

des Alpinisten. Er kann bei schönem Wetter zu einer Tour aufbrechen, ermuntert noch durch eine gute Wetterprognose, und trotzdem nach wenigen Stunden schlimmstem Unwetter ausgesetzt sein. Todsicheres Wetter gibt es im Gebiet der Alpen kaum, es gibt nur Grade der Unsicherheit. Einige der exponiertesten Gipfel, wie etwa der Mont Blanc oder der Eiger, sind plötzlichen Wetterveränderungen am meisten ausgesetzt. Selbst bei allgemein schönem Sommerwetter können hier lokale Schneestürme toben. Ein Wettersturz hat in der ersten Augustwoche 1966 im Mont-Blanc-Massiv zehn Bergsteigern das Leben gekostet. Der Morgen des ersten August war strahlend schön, doch schon im frühen Nachmittag stürmte und schneite es um den höchsten Alpengipfel. Eine Kaltfront hatte sich den Alpen von Nordwesten her mit solcher Geschwindigkeit genähert, daß viele Bergsteiger nicht mehr Zeit fanden, ihre Tour abzubrechen und die schützende Hütte aufzusuchen. Solche Kaltfronten mit sehr starkem Temperaturfall und heftigen Schneestürmen bis in die Täler hinab, brechen jedes Jahr in die Alpen ein. Fast immer fallen ihnen Menschen zum Opfer.
Für jeden Wetterablauf gibt es bestimmte Vorzeichen. Die Beobachtung des Wolkenhimmels und des Barometers, das der Bergsteiger in Form eines Anaeroidhöhenmessers bei sich trägt, kann den Alpinisten vor Überraschungen schützen. Kaltfronten zeigen sich durch bestimmte Wolken, vor allem die schnell ihre Form ändernden Hakenzirren, an. Der Luftdruck sinkt plötzlich, oft schon am Tage vor dem Wettersturz, möglicherweise auch erst zwei bis drei Stunden vorher.
Wie die Kaltfront den Bergsteiger im Sommer, so bedroht die Warmfront den Skibergsteiger im Winter. Warmluft vom Atlantik her schiebt sich am Kaltluftkissen, welches das Mittelland bedeckt, empor. Der trockene Schnee verändert in Minuten seine Struktur, wird feucht und ballig. Bis gegen dreitausend Meter Höhe hinauf kann es selbst im Hochwinter regnen. Die Warmfronten des Winters brechen kaum mit der Geschwindigkeit der sommerlichen Kaltfronten ein, sie fordern bedeutend weniger Opfer.
Der Alpinist ist dem Wetter immer ausgesetzt. Das Wetter entscheidet über Erfolg oder Mißerfolg einer Tour, manchmal über Leben und Tod. Ernst Hostettler, der sich als Alpinist und Säntis-Wetterwart während Jahrzehnten dem Studium des Wetters gewidmet hat, meint: «Das sollte der Bergsteiger viel mehr tun: den Himmel anschauen, die Wolken betrachten! Der Bergsteiger sollte am Wolkenhimmel lesen können.»
Selten sind die Opfer der alpinen Wetterkatastrophen unter der Bergsteigerelite zu finden: erstens verfügen Spitzenbergsteiger über große Erfahrungen in der Beurteilung des Wetters; zweitens ist ihre körperliche Konstitution so gut, daß sie die Unbill des Wetters besser ertragen können als Durchschnittstouristen; und drittens sind sie so gut ausgerüstet, daß sie ein Biwak in Fels oder Schnee nicht zu scheuen brauchen. Mit einer rechten Biwakausrüstung und einer guten seelischen und körperlichen Verfassung haben Bergsteiger schon mehrere Tage hindurch Sturm und

Kälte in exponierten Wänden getrotzt. Im Gegensatz dazu sind mangelhaft ausgerüstete Bergsteiger auf einfachen Routen schon nach einem einzigen Biwak in Sturm und Kälte gestorben. Auf jede anspruchsvolle Hochgebirgstour nimmt der vorsichtige Alpinist Biwaksack, Kocher, genügend Proviant und genügend warme Kleider mit. Der Rucksack wird vielleicht etwas schwerer. Erleichternd aber ist die Gewißheit, einem Wettersturz nicht schutzlos ausgeliefert zu sein.

Die subjektiven Gefahren

Subjekt ist der Mensch, die zerbrechliche Krone der Schöpfung. Nicht geschaffen für den Aufenthalt in den unwirtlichen Höhen und durch die Entwicklung der Zivilisation vom Ursprünglichen weiter entfernt denn je. Aber dieser Mensch, der gelernt hat, auf Asphaltstraßen und Schienen ganze Länder in einem Tag zu durchrollen, der die Meere in schnellen Schiffen durchpflügt und den Himmelsraum den Vögeln streitig macht, sehnt sich dann und wann zurück zum Ursprünglichen. Zurück nach der urmenschlichen Fortbewegung auf zwei Beinen, nach kalten Sternennächten über weißen Gipfeln, nach dem Geruch des Seidelbasts im warmen Bergwald, nach dem Überwinden von Schwierigkeiten, die unsere Erde dem Menschen dort entgegenstellt, wo sie besonders schön ist, in den Bergen. Fels, Schnee und Eis bedrohen auf mannigfache Weise den zweibeinigen Warmblüter Mensch, der für das Bergsteigen kaum etwas von den Gaben mitbringt, mit denen der Schöpfer die vierbeinigen und geflügelten Alpenbewohner so reich gesegnet hat.
Wenn der Bergsteiger einer objektiven Gefahr zum Opfer fällt, zum Beispiel vom Steinschlag in einer gefährlichen Steinschlagrinne erschlagen wird, so ist er nicht einfach schicksalhaft dieser an sich objektiven Gefahr erlegen. Warum hat er die Steinschlagrinne gequert? – und warum zu einer Tageszeit, als die Sonne warm in die über der Rinne aufragenden Felsen schien und dort den Steinschlag auslöste? Wußte er nicht, in welcher Gefahrenzone er sich bewegte, so ist Fehleinschätzung und mangelndes Wissen die wahre Unfallursache. Wußte er aber von der Gefahr, so ist er ein großes Risiko bewußt eingegangen. Die wahren Unfallursachen sind somit in beiden Fällen subjektiver Natur. Von objektiver Unfallursache kann nur dann gesprochen werden, wenn der Steinschlag dort und zu einer Zeit niederschlagen würde, wo er nach bestem Wissen und Gewissen nicht erwartet werden konnte.
Die Hintergründe und genauen Umstände alpiner Unfälle soll der Bergsteiger immer wieder erforschen. Es gibt für ihn kein besseres und nützlicheres Studium. Eine Übersicht über die alpinen Unfälle im Gebiete der Schweiz mit stichwortartigen Bemerkungen wird jährlich in den «Alpen», der Zeitschrift des Schweizer Alpen-Clubs, publiziert. Die wichtigsten Angaben aber werden ihm die mündlichen Berichte von Rettungs- und Bergungsmännern sein. Bei Alpinisten und Bergführern bilden die alpinen Unfälle immer wieder Stoff zu langen Diskussionen.

Man geht der Gefahr nicht aus dem Weg, indem man sie übersieht und blind auf sein Quentchen Glück vertraut. Es ist überraschend, wie ernst große Alpinisten auch den geringsten Unfallursachen nachspüren und mit wieviel Umsicht sie ihre schwierigen Touren vorbereiten und ausführen. Straßen und Bahnen haben uns die Berge nähergebracht, hochgelegene Hütten bieten gastliche Unterkunft in unwirtlichen Regionen. Aber noch immer ist eine Bergtour ein Unternehmen, das geplant und vorbereitet werden muß. Man geht nicht ins Gebirge wie zu einem Verdauungsspaziergang. Das Vorbereiten einer Tour, das Studium von Berichten, Karten, Führern, Lawinen- und Wetterberichten, bringt den Bergsteiger in Stimmung. Vorfreuden gehören ja oft zu den schönsten Freuden. Fragen tauchen auf. Wird das Wetter halten? Werden die Felsen nicht vereist sein? Werden Steigeisen gebraucht, oder genügt der Pickel? Ist genügend Seil da, Haken, Karabiner, Reepschnur? Die Apotheke, ist sie noch vollständig? Der Biwaksack geflickt? Warme Unterwäsche, Gamaschen, Ersatzhandschuhe? Bereits im Stadium der Vorbereitung geschieht Entscheidendes für die erfolgreiche Durchführung der Tour, kann die Ursache eines späteren Unglücks liegen.
Hauptfrage bleibt immer: Bin ich dem gesteckten Ziel physisch und psychisch gewachsen? Sind die alpintechnischen Schwierigkeiten der geplanten Besteigung nicht zu hoch? Entspricht die Länge der Tour meinem Trainingszustand? Obwohl alpintechnische Schwierigkeiten ein relativer Begriff sind, lassen sie sich doch bis zu einem gewissen Grad bestimmen. Die international gebräuchliche Schwierigkeitsskala mit sechs Graden für freies Klettern [I–VI] und drei Graden [1, 2, 3] für ausgesprochene Hakenklettereien gibt dem Alpinisten die Möglichkeit, eine recht klare Vorstellung von den Schwierigkeiten zu gewinnen, die ihn erwarten [vgl. Skala Seite 274]. Wenn lange Jahre hindurch die Anwendung der Schwierigkeitsskala vor allem in den Führern des SAC abgelehnt wurde, so geschah das immer mit der nicht stichhaltigen Begründung, die Schwierigkeiten im Hochgebirge seien zu sehr vom Wetter [Eis, Schnee, Regen] abhängig und die Fähigkeiten der Bergsteiger seien zu verschieden. Der Schwierigkeitsgrad betrifft aber nur die rein felstechnische Schwierigkeit bei guten Verhältnissen. Daß aus Grad IV bei Vereisung Grad VI werden kann, ist doch jedem klar, und diese Erschwerung durch Wettereinflüsse muß eben berücksichtigt werden. Auch die unterschiedlichen Fähigkeiten sind kein Argument gegen den Segen der Gradbezeichnung. Durch eigenes Erfahren und Vergleichen lernt der Alpinist die Schwierigkeitsgrade kennen. Wenn der Grad VI «äußerst schwierig» heißt, so betrifft dieses «äußerst schwierig» selbstverständlich den denkbar besttalentierten und trainierten Kletterer. Ein wenig trainierter und talentierter Bergsteiger empfindet vielleicht dieses «äußerst schwierig» schon bei Grad II oder III. Die Hauptsache bleibt, daß er dann eben weiß, daß Besteigungen vom Grad III und höher für ihn niemals in Frage kommen können. Daß eine möglichst exakte Schwierigkeitsangabe lebensrettend sein kann, ergibt sich für den führerlosen Alpi-

nisten vor allem dann, wenn er Touren in Gebiete plant, die ihm fremd sind. Er vergreift sich viel weniger leicht an zu hohen Zielen.
Für große und schwierige Bergtouren muß auch der beste Bergsteiger in Form sein. Kleine Störungen, Kopfweh, Halsweh, Magenschmerzen, aber auch Schlafmanko, können sich unter der erhöhten Beanspruchung im Gebirge fatal auswirken. Der körperlichen soll die seelische Kondition entsprechen. Niedergeschlagenheit, Mißmut oder sonstige seelische Belastungen sind auf großen Touren schädlich. Bei härtester Belastung durch die Schwierigkeiten am Berg entsteht dann leicht ein Koller, der jegliche Gefahr verdoppelt.
Kann der Bergsteiger die Grundfrage nach der Befähigung mit bestem Gewissen bejahen, so kommen die vielen präzisen Einzelfragen, welche die Ausrüstung, den Anmarsch, den Zeitpunkt des Aufbruchs, das Wetter und die Verhältnisse am Berg betreffen. Eigene Erfahrungen, aber auch die aufmerksame Lektüre geeigneter Literatur, alpiner Fachzeitschriften und Lehrbücher, helfen ihm, die beste Lösung zu finden. In jeder Beziehung hat es hier der Bergsteiger leichter als die alpinen Pioniere. Im einzigartig schönen und präzisen Kartenwerk der Eidgenössischen Landestopographie steht ihm bei der Planung und Durchführung der Touren ein exaktes Abbild der alpinen Landschaft zur Verfügung. Zusammen mit Kompaß und Höhenmesser ermöglicht es dem Alpinisten, die Bergfahrt genau vorzubereiten und auch bei Wetterumbrüchen den Weg in die Sicherheit der Hütte oder eines Biwaks zu finden. Der Aufschwung des Alpinismus seit dem Ende des letzten Weltkrieges mit seinen zahlreichen Expeditionen zu den höchsten und schwierigsten Gipfeln der Welt hat zu einem reichhaltigen Angebot von Ausrüstungsgegenständen geführt. Obwohl in der Bekleidung des Bergsteigers die wärmespendende und rasch trocknende Wolle nach wie vor einen wichtigen Anteil hat, so ist doch auch die Kunstfaser nicht mehr aus dem alpinen Verwendungsbereich wegzudenken. Eines der wichtigsten bergsteigerischen Requisiten, das Seil, einst noch als gedrehtes Hanfseil beliebt und geschätzt, hat längst dem leichteren, viel reißfesteren und weniger nässeempfindlichen Kunststoffseil weichen müssen. Leichte Daunenbekleidung und sehr robuste Schuhe mit separatem Filzinnenschuh machen anstrengendste Winterklettereien möglich, und handliche Gaspatronen spenden ein wärmendes Kochfeuerchen auch beim Biwak in steiler Wand.
Die Ausrüstung muß der geplanten Fahrt entsprechen. Fehlende Ausrüstungsgegenstände können große Not bringen: fehlende Handschuhe so gut wie eine fehlende Reepschnur, ein fehlender Karabiner oder eine fehlende Apotheke.
Ist der Alpinist am Berg tätig, trainiert, gut ausgerüstet und vorbereitet – was kann ihm noch passieren?
Abgesehen von den objektiven Gefahren, die sich nie ganz ausschließen lassen, bedroht ihn immer wieder seine Psyche. Nicht nur der menschliche Körper ist für die Regionen des Hochgebirges wenig prädestiniert, auch die Seele des Menschen er-

fährt Anforderungen und Belastungen, denen sie nicht immer gewachsen ist. Seelische Regungen – Angst, Ehrgeiz, Prestigefragen – führen den Bergsteiger vielleicht häufiger ins Verderben als unmittelbare materielle Ursachen. Es ist zum Beispiel kein Geheimnis, daß Unfälle oft am Schlusse von Schlechtwetterferien vorkommen. Ursache: psychologische Staulage. Der unbefriedigte Bergsteiger wird ungeduldig. Er glaubt, nicht ohne wenigstens einen guten Gipfel heimkehren zu dürfen, und entschließt sich in einer psychischen Zwangslage zur Tour, auch wenn er über die schlechten Verhältnisse genau im Bilde ist.

Ehrgeiz ist für den Bergsteiger manchmal ein wichtiger, aber auch sehr gefährlicher Antrieb. Leicht verführt er ihn dazu, sich an Touren zu wagen, die über seinen Kräften liegen. Besonders der seelisch unausgeglichene Mensch, der vielleicht in seinem Berufs- oder Familienleben nicht recht glücklich ist, erliegt den fatalen Folgen des falschen Ehrgeizes. Das Bezwingen schwieriger Routen kann eine Ersatzbefriedigung sein. Sie schafft für kurze Zeit Genugtuung und Zufriedenheit, welche sich aber auf die Dauer nur durch immer neue und schwierigere Touren aufrechterhalten läßt.

Angst kann so nützlich wie verhängnisvoll sein. Es stimmt nicht, daß die Bergsteiger samt und sonders tollkühne Burschen sind, denen Angst unbekannt ist. Fast jeder Bergsteiger kennt die Angst. Der den Naturgewalten ausgelieferte Mensch empfindet oft eine gewisse Urangst, ohne sich dessen bewußt zu werden. Ist es vielleicht diese Urangst vor dem Ausgesetztsein, die so viele Bergsteiger, kaum haben sie den Gipfel erreicht, wieder in die Tiefe und Geborgenheit der Täler treibt? Nicht nur auf langen Besteigungen, wo die Zeit eingeteilt werden muß, ist diese Erscheinung festzustellen. Vielen Bergsteigern scheint der längere Aufenthalt in der Höhe geradezu Pein zu verursachen. Die Welt des Tales zieht sie mächtig vom Gipfel herunter. Gut, der ersehnte Gipfel ist bestiegen, nun aber schnell nach Hause! Angst im konkreten Fall, bei besonders schwierigen oder gefährlichen Passagen, bei Wetterumstürzen oder Lawinengefahr, kann sowohl ein lebensrettendes Warnsignal als auch eine zusätzliche Gefährdung sein. Die Frage ist, wie der Mensch auf die Angst reagiert. Überfällt in schwieriger Seillänge Angst den Kletterer, so fällt sein Selbstvertrauen in sich zusammen. Auf schmalem Tritt beginnen seine Knie zu schlottern. Gelingt es ihm nicht, einen Standplatz zu erreichen oder sich mit Felszacken oder Haken eine Sicherung zu schaffen, so ist ein Sturz nur zu leicht möglich. Erscheint die Angst aber vor der Kletterei, so kann sie vielleicht zum Verzicht auf die Tour, mitunter zur Rettung führen. Wer nie Angst empfindet in den Bergen, leidet vielleicht nur an einem Mangel an Phantasie. Wer aber Phantasie hat und sich alle möglichen Gefahren vorstellen kann, gelangt leicht unter einen hemmenden oder gar lähmenden Angsteinfluß. Im Sich-Kennenlernen, in der richtigen Reaktion auf Angstgefühle, im Verzicht zur richtigen Zeit und im männlichen Überwinden der Angst liegt wohl gerade einer der großen erzieherischen Werte des Bergsteigens.

Bergell
Unterengadin

Auf dem Pfad vom Trubinasca-
Kessel zum Rifugio Sasc Furä.
Subtropische Vegetation in
Gletschernähe [Bergell].

Teleaufnahme der Sciora-Gruppe im Bergell von Soglio aus. Von links nach rechts: Scioretta [3046 m], Sciora Dafora [3169 m], Punta Pioda di Sciora [3238 m], Ago di Sciora [3205 m] und Sciora Dadent [3275 m].
Die prächtigen Granittürme zwischen dem Val Albigna und dem Val Bondasca sind mit den Namen zweier Bergführer besonders verbunden: Christian Klucker und Walter Risch.
Die Erstbesteigungen aller Türme führte Christian Klucker mit Gästen zwischen 1888 [Sciora Dadent] und 1893 [Ago di Sciora] durch.
Walter Risch bezwang am 1. Juli 1923 im Alleingang den Ostnordostpfeiler des Ago di Sciora, traversierte am 2. August 1923 mit Alfred Zürcher die ganze Gruppe und führte am 8. März 1929 die erste Winterbesteigung der Punta Pioda di Sciora durch.

Die 800 Meter hohe Nordkante des Piz Badile [3308 m] im Bergell ist eine ideale Granitkletterei. Der Alpinist folgt dem ungebrochenen Pfeilerrücken in gerader Linie vom Einstieg bis zum Gipfel. Der Vergleich mit der schönsten Kalkkante der Alpen, der Schleierkante an der Cima della Madonna in den Dolomiten, drängt sich auf. Nur ist die Badile-Kante bedeutend weniger steil. Ihr Fels ist aber auch viel kompakter, die Griffe sind rarer und kleiner. Der Kletterer muß hier auf Reibung gehen. Das ist im trockenen Fels ein Genuß, bei Nässe eine gefährliche Sache, weil die Flechten dann den Fels sehr glitschig machen.
Schon am 11. Juli 1892 stieg Christian Klucker allein bis zum Rißüberhang empor, aber erst am 4. August 1923 wurde die Kante von Alfred Zürcher mit dem Bergführer Walter Risch in elf Stunden reiner Kletterzeit erstmals durchstiegen.

Bild links oben: Im Morgengrauen verlassen die Kletterer das gemütliche Rifugio Sasc Fura am Fuße der Kante.
Bild links unten: Auf dem Weg zum Einstieg. Links der Piz Cengalo [3370 m] mit dem obersten Teil seiner Nordkante, rechts die Badile-Kante als scharfe Trennlinie zwischen der besonnten Nordostwand und der schattigen Nordwestwand.
Bild rechts: Bergführer Walter Belina sichert im untern Kantenteil seinen Kameraden.

Linke Seite
Luftige Kletterei an der Zürcherplatte. Die Platte endet in einem Rißüberhang, einer der schwierigsten Stellen der ganzen Badile-Kante. Der Schwierigkeitsgrad IV wird aber nirgends überschritten.

Rechte Seite
Blick oberhalb der Zürcherplatte in die Plattenschüsse der Nordostwand. Ein Gewitter mit Hagelschlag bedrängt eine englische Seilschaft in der steilen, glatten Flanke.
1937 war die Nordostwand Schauspiel eines Dramas. Zwei Kletterer aus Como, Molteni und Valsechi, wurden bei ihrem Versuch der Erstbesteigung von der ausgezeichneten Partie Cassin/Esposito/Ratti eingeholt und ins Schlepptau genommen. Das Wetter verschlechterte sich. Durch Steinschlag ging der Seilschaft aus Como das Biwakmaterial verloren. Sie mußte ungeschützt die Nacht an Haken gebunden verbringen. Am folgenden Tag wurde die extrem schwierige Besteigung fortgesetzt. Molteni und Valsechi aber starben an Erschöpfung.
Die Badile-Wand galt lange Zeit als eine der schwierigsten Granitwände der Alpen. Die großen neuen Aufstiege im Mont-Blanc-Gebiet haben ihr aber diesen Ruf streitig gemacht. Unter der Kletterelite gilt sie heute als eine schöne Kletterei vom Schwierigkeitsgrad V+.

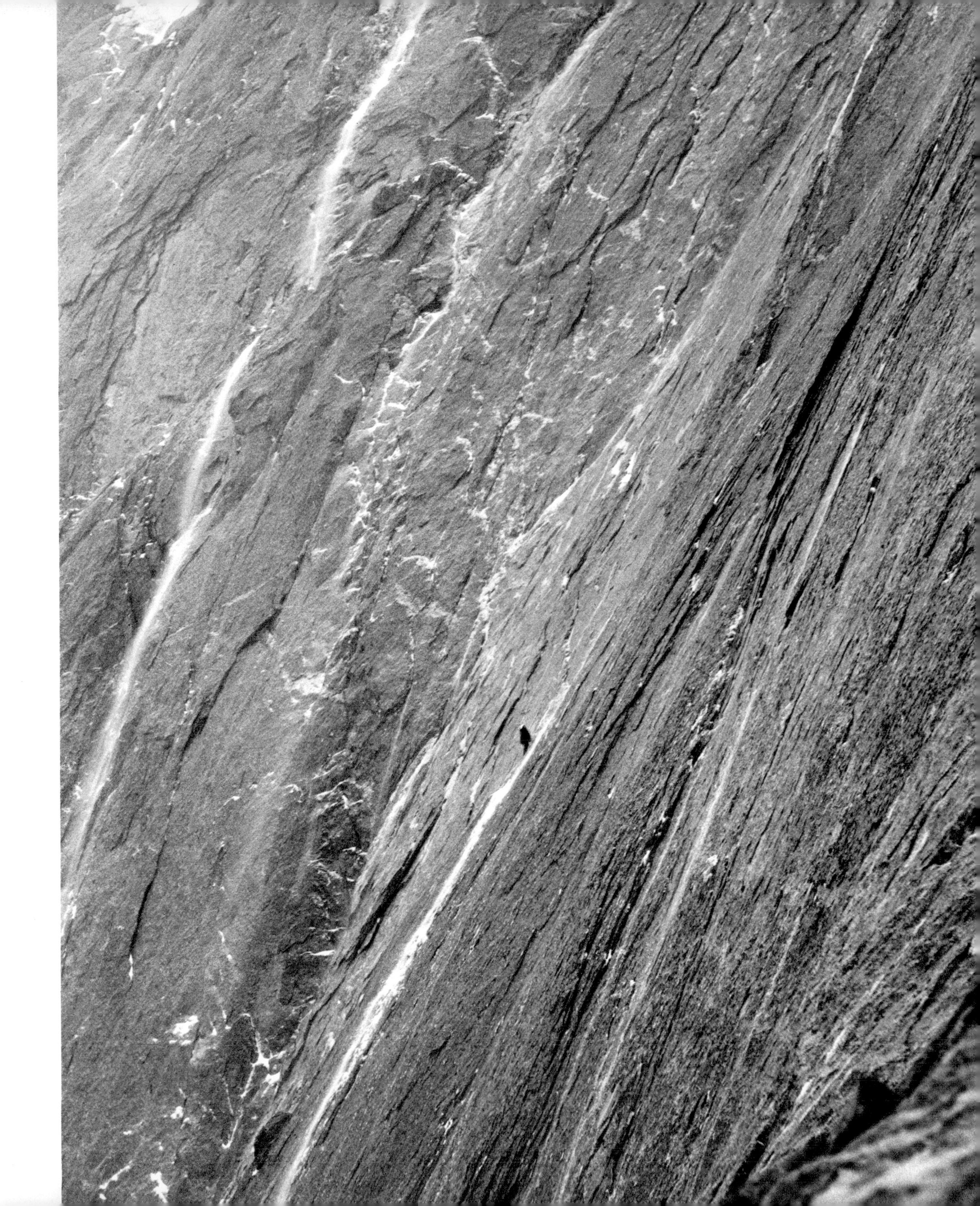

Der Weg vom Gipfel des Piz Badile [3308 m] zurück zur Ausgangsbasis ist lang und mühsam und ein Grund, daß manche Kletterer es vorziehen, die Kante auch als Abstiegsweg zu benützen.
Bild links: Der normale Abstieg führt in mäßig schwieriger Kletterei durch die italienische Südflanke. Über den Passo Porcellizo kann der Bergsteiger die Biwakschachtel Natale Vaninetti erreichen, welche die Sektion Mailand des CAI auf 2600 Meter Höhe über dem Val Codera aufgestellt hat.
Bild rechts: Über den Trubinasca-Paß kehrt der Alpinist ins Val Bondasca zurück. Der Weg hinunter ins tiefe Tal [Bondo liegt nur 823 Meter hoch] offenbart die wahren Wunder des Bergells. Aus Hochgebirgsregionen mit Gletschern und kühnen Felsbergen gerät man unvermittelt in Zonen subtropischer Vegetation. Die Pfadspuren aus dem Trubinasca-Kessel zum Rifugio Sasc Furä führen durch einen feuchten, dampfenden Urwald. Der Weg nach Bondo hinunter, zwischen mannshohen Farnen und üppigen Sträuchern, zeigt dem Bergsteiger vollends, daß er hier am warmen Südrand des Alpenwalls wandert.

Hinter dem Schloßhügel von Tarasp beginnt die längste und schönste Grattraversierung in den Unterengadiner Dolomiten. Über den Piz Lavetscha [2790 m] und den Piz Clemgia [3042 m] führt sie in zehnstündiger Kletterei auf den Piz Pisoc [3173 m]. Vom Fuße des Piz Lavetscha blickt der Bergsteiger Inntal abwärts gegen die Berge Österreichs. Auf der rechten Talseite münden hier noch das Val S-charl, das Val Lischana, das Val Triazza, das Val d'Uina, das Val d'Assa und das Val Torta ins Inntal. Für die Geologie der Alpen ist das Unterengadin ein wichtiges Gebiet. Die Überschiebungstheorie hat hier im berühmten Unterengadiner Fenster ihr glänzendes Beweisstück.

Der Grisset, ein Gratausläufer
des Bös Fulen im Glarnerland,
wird von den Strahlen der
Morgensonne getroffen. Seine
Kalkformationen, eben noch
im Blaugrau der Dämmerung
ruhend wie das umliegende
Gebirge, leuchten magisch auf.
Genau über dem Grisset die
Große Windgälle, weiter links
die Scherhörner und der Claridenstock.

Schwierigkeitsskala für Felskletterei

Die international gebräuchliche Schwierigkeitsskala für Felskletterei umfaßt sechs Grade. Jeder Grad wird oft zur Präzisierung noch in Plus und Minus unterteilt. In Worten sieht die Skala, die von den besten Bergsteigern aller Länder immer wieder verglichen und geprüft wird, so aus:

Grade	Beispiele Kalkfels	Beispiele Urgestein
I. Leichte Kletterei	3. Kreuzberg Normalweg Altmann von Norden	Pizzo Rotondo Südostgrat Kl. Windgälle von Norden oder Südosten
II. Mittelschwierige Kletterei	5. Kreuzberg Westgrat Kingspitz Normalweg	Düssistock Nordwestgrat Cima del Largo Normalweg
III. Schwierige Kletterei	Altmann Ostgrat Kl. und Gr. Simelistock Traversierung	Zinal-Rothorn Rothorngrat Gletschhorn Südgrat
IV. Sehr schwierige Kletterei	Kl. Drusenturm Südostwand Hundstein Südwand	Piz Badile Nordkante Salbitschijen Südgrat
V. Überaus schwierige Kletterei	Kingspitz Nordostwand Gr. Drusenturm Burgerweg	Piz Badile Nordostwand Salbitschijen Zwillingsturm Südostwand
VI. Äußerst schwierige Kletterei	Bockmattli direkte Nordwand Drusenturm Südpfeiler	Grandes Jorasses Walker-pfeiler Aiguille des Drus: Bonatti-Pfeiler

Diese Grade bezeichnen die Schwierigkeiten der freien Felskletterei bei guten Verhältnissen. In diesem Bereiche dient der Mauerhaken nur als Sicherungs-, nicht aber als Fortbewegungsmittel. Dient der Felshaken in Verbindung mit Trittschlingen als Fortbewegungsmittel, so gilt eine besondere Skala von drei Graden, nämlich a 1, a 2, a 3. a bedeutet «artificiel» und deutet auf die französische [Mont Blanc] Herkunft dieser Skala hin. a 1 bedeutet in dieser Skala eine leicht, a 3 eine sehr schwierig zu erschlossernde Stelle. In den Beschreibungen schwieriger Routen werden die Schwierigkeiten heute allgemein detailliert angegeben.

1
Walliser Alpen
vom Genfersee
zum Großen St. Bernhard

Aiguille de l'A Neuve, 3753 m
Aiguilles des Angroniettes, 2944 m
Aiguille d'Argentière, 3896 m
Aiguilles d'Arpette, 3059 m
 2999 m
Aiguille de Chardonnet, 3824 m
Aiguille du Charmo, 2655 m
Aiguilles Dorées
 Aiguille de la Fenêtre, 3413 m
 Aiguille de la Varappe, 3520 m
 Aiguilles Penchées, 3500 m
 Tête Biselx, 3512 m
 Aiguilles Sans Nom, 3440 m
 Le Trident, 3431 m
 Aiguille Javelle, 3434 m
 Tête Crettez, 3420 m
Aiguille du Génépi, 3420 m
Aiguille de Leisasse, 3014 m
Aiguille du Pissoir, 3440 m
Aiguilles Rouges [Dolent]
 3590 m
 3572 m
 3680 m
 3599 m
 3608 m
Aiguille du Tour, 3540 m
Bel Oiseau, 2628 m
Cornettes de Bise, 2432 m
Crête Sèche, 3023 m
Crêta de Vella, 2502 m
Dents Blanches
 Pointe de la Golette, 2645 m
 Dent de Barma, 2759 m
Dent de Bonavan, 2503 m
Dent de la Chaux, 2767 m
Dent d'Emaney, 2567 m
Dents du Midi
 Haute Cime, 3257 m
 Les Doigts, 3205 m, 3210 m
 Dent Jaune, 3186 m
 L'Eperon, 3114 m
 La Cathédrale, 3160 m
 La Forteresse, 3164 m
 Cime de l'Est, 3177 m
Dent de Rossétan, 2616 m
Dent du Salantin, 2482 m
Dent de Valère, 2267 m
Fontanabran, 2678 m
Grande Darrey, 3514 m
 Petite Darrey, 3510 m
Grande Fourche, 3610 m
 Petite Fourche, 3513 m
Grand Golliat, 3238 m
Grande Lui, 3509 m
Haut Sex, 1961 m
La Breya, 2198 m
Le Catogne, 2598 m
Le Châtelet, 2537 m
Le Cheval Blanc, 2830 m
Les Echessettes
 Tête des Vares, 2870 m
Le Génépi, 2884 m
Le Grammont, 2172 m
Le Linleu, 2093 m
Le Luisin, 2785 m
Les Perrons, 2674 m
Le Portalet, 3344 m
 Clochers de Portalet
Mont de l'Arpille, 2085 m
Mont Dolent, 3820 m
Mont Ferret, 2977 m
Mont Ruan, 3044 m
Monts Telliers, 2951 m
Pic de Tenneverge, 2985 m
Pointes d'Aboillon, 2698 m
Pointe de l'Au, 2152 m
Pointe de Bellevue, 2041 m
Pointe de Chésery, 2249 m
Pointe de Drône, 2949 m
Pointe des Ecandies, 2873 m
Pointes des Essettes, 3160 m
Pointe de la Finive, 2837 m
Pointe de Grands, 3101 m
Pointe de la Léchère, 2173 m
Pointe de Mossette, 2277 m
Pointe d'Orny, 3269 m
Pointes de Planereuse
 Grande, 3150 m
 Petite, 2965 m
 Clochers, 2805 m
Pointe Ronde, 2654 m
Rochers de Gagnerie, 2734 m
 La Vierge, 2641 m
Sex Carro, 2826 m
Tête de Ferret, 2713 m
Tête du Géant, 2232 m
Tour de Don, 1998 m
Tour Noir, 3835 m
Tour de Prazon, 2931 m
Tour Sallière, 3218 m
 L'Eglise, 3077 m
 Le Dome, 3138 m
Treutse Bo, 2917 m

2
Walliser Alpen
vom Großen St. Bernhard
zum Theodulpaß

Aiguilles de la Lé, 3180 m
Aiguilles Rouges d'Arolla,
 3646 m
Aiguille de la Tsa, 3668 m
Aiguilles de Valsorey
 3230 m
 3274 m
 3353 m
 Aiguille Verte, 3489 m
Aouille Tseuque, 3554 m
Augstbordhorn, 2972 m
Barrhorn
 Inner, 3585 m
 Äußer, 3610 m
Becs de Bosson, 3148 m
Bec du Chardoney, 3447 m
Bec d'Epicoun, 3528 m
Bec de la Sasse, 3496 m
Bella Tola, 3025 m
Besso, 3667 m
Bishorn, 4159 m
Blanc de Moming, 3663 m
Brunegghorn, 3838 m
Burgihorn, 3071 m
Combin de Boveyre, 3663 m
Combin de Corbassière, 3715 m
Corne de Sorebois, 2895 m
Couronne de Bréona, 3159 m
Dent Blanche, 4356 m
Dents de Bertol
 3524 m
 3547 m
 3374 m
 3343 m
 3499 m
Dent d'Hérens, 4171 m
 Pt Maquinaz, 3801
 Pt Carrel, 3841 m
 Pt Blanche, 3918 m
Dents de Perroc
 3677 m
 3675 m
 3651 m
Dent de Rosses, 3612 m
Dent de Tsalion, 3589 m
Dents de Veisivi
 Grand, 3418 m
 Petit, 3183 m
Diablons
 Südgipfel, 3538 m
 Hauptgipfel, 3609 m
 Nordgipfel, 3592 m
Douves Blanches
 3641 m
 3664 m
Dreizehntenhorn, 3052 m
Festihorn, 3248 m
Furggrat, 3491 m
Furggwänghorn, 3161 m
Garde de Bordon, 3310 m
Gässispitz, 3410 m
Grand Combin
 Combin de Valsorey, 4184 m
 Combin de Grafeneire, 4314 m
 Combin de Tsessette, 4141 m
Grand Cornier, 3961 m
Grand Tavé, 3158 m
Grande Tête de By, 3587 m
Hirsihorn, 3076 m
Illhorn, 2716 m
Les Bouquetins
 Pointe Barnes, 3612 m
 Südgipfel, 3670 m
 Hauptgipfel, 3838 m
 Nordgipfel, 3729 m
La Brinta, 2658 m
L'Evêque, 3716 m
La Luette, 3548 m
La Maya du Tsan, 2915 m
Le Métailler, 3212 m
Le Parrain, 3212 m
Les Portons, 3512 m
La Ruinette, 3875 m
La Singla, 3714 m
Maisons Blanches
 L'Epée, 3604 m
 Le Moine, 3566 m
 Grande Aiguille, 3682 m
 Petite Aiguille, 3517 m
Matterhorn, 4477 m
Mettelhorn, 3406 m
Meidhorn, 2874 m
Meidspitz, 2935 m
Momingspitze
 Obere, 3963 m
 Untere, 3863 m
Mont Avril, 3346 m
Mont Blanc de Cheilon, 3869 m
Mont Brulé, 3591 m
Mont Collon, 3637 m
Mont Durand, 3712 m
Mont Fort, 3328 m
 Petit Mont Fort, 3135 m
Mont Gelé, 3518 m
Mont Gelé, 3023 m
Mont de la Gouille, 3212 m
Mont Miné, 2914 m
Mont Mort, 2866 m
Mont Noble, 2654 m
Mont Pleureur, 3703 m

Mont Rogneux, 3083 m
Mont Vélan, 3734 m
Petit Vélan, 3201 m
Aiguille du Vélan, 3635 m
Obergabelhorn, 4063 m
Mittel Gabelhorn, 3685 m
Unter Gabelhorn, 3319 m
Petit Combin, 3672 m
Petit Mont Collon, 3555 m
Pic de l'Artsinol, 2997 m
Pierre Avoi, 2472 m
Pigne d'Arolla, 3796 m
Pigne de Combavert, 2871 m
Pigne de la Lé, 3396 m
Platthorn, 3344 m
Pletschenhorn, 2737 m
Pointe Ar Pitetta, 3132 m
Pointe du Bandon, 3074 m
Pointe de Barasson, 2962 m
Pointe de Bricola, 3657 m
Pointe de Masserey, 2842 m
Pointe de Moiry, 3283 m
Pointes de Mourti
3563 m
3529 m
Pointe de Nava, 2769 m
Pointe d'Otemma, 3403 m
Pointe des Rayons de la Madeleine, 3051 m
Pointe de Tourtemagne, 3079 m
Pointe de Tsalion, 3512 m
Pointe du Tsaté, 3077 m
Pointe de Vouasson, 3489 m
Pointe de Zinal, 3791 m
Roc d'Ortsiva, 2852 m
Rosablanche, 3336 m
Rotighorn, 2958 m
Sasseneire, 3254 m
Schalihorn, 3974 m
Schölihorn, 3499 m
Schwarzhorn, 3201 m
Sex de Marinda, 2903 m
Six Blanc, 2445 m
Stellihorn
Inner, 3409 m
Äußer, 3405 m
Stierberg, 3506 m
Tête de Balme, 3312 m
Tête Blanche, 3724 m
Tête de Lion, 3715 m
Tête de Milon, 3691 m
Tête de Valpelline, 3802 m
Tounot, 3017 m
Tour de Boussine, 3826 m
Tournelon Blanc, 3707 m
Trifthorn, 3728 m
Tsa de l'Ano, 3367 m
Wandfluhhorn, 3589 m
Wängerhorn, 3096 m
Wasenhorn, 3343 m
Weißhorn, 4505 m
Wellenkuppe, 3903 m
Zinal-Rothorn, 4221 m

3
Walliser Alpen
Theodulpaß bis Nufenenpaß

Adlerhorn, 3987 m
Albrunhorn, 2885 m
Allalinhorn, 4027 m
Almagellerhorn, 3327 m
Alphubel, 4206 m
Balfrin, 3795 m
Balmahorn, 2870 m
Bettelmatthorn, 3043 m
Bettlihorn, 2951 m
Bigerhorn
Groß, 3625 m
Klein, 3183 m
Blasenhorn, 2777 m
Blinnenhorn, 3373 m
Bortelhorn, 3193 m
Böshorn, 3267 m
Brudelhorn, 2790 m
Camoscellahorn, 2610 m
Castor, 4226 m
Cima d'Azoglio, 2610 m
Cima di Jazzi, 3804 m
Cima del Rosso, 2624 m
Distelhorn, 2830 m
Dom, 4545 m
Dufourspitze, 4634 m
Dürrenhorn, 4034 m
Eggerhorn, 2503 m
Egginer, 3366 m
Faderhorn, 3206 m
Faulhorn, 2677 m
Faulhorn, 2606 m
Feekopf, 3888 m
Ferichhorn, 3290 m
Fillarhorn
Groß, 3678 m
Klein, 3620 m
Fleschhorn, 3004 m
Fletschhorn, 3996 m
Fluchthorn, 3790 m
Furggenbaumhorn, 2985 m
Gabelhorn, 3136 m
Galenhorn, 2794 m
Galenhorn, 3124 m
Galihorn, 2577 m
Gemshorn, 3545 m
Gischihorn, 3083 m
Glishorn, 2525 m
Gobba di Rollin, 3899 m
Grabenhorn, 3371 m
Grampielhorn, 2764 m
Grieshorn, 2928 m
Groß Huwiz, 2924 m
Guggelihorn, 2351 m
Helgenhorn, 2837 m
Helsenhorn, 3272 m
Hillenhorn, 3181 m
Hohberghorn, 4219 m
Hohsandhorn, 3182 m
Holzjihorn, 2986 m
Hübschhorn, 3187 m
Jägerhorn, 3969 m
Jägihorn, 3206 m
Jägigrat, 3350 m
Joderhorn, 3035 m
Kinhorn, 3750 m
Klein Matterhorn, 3883 m
Kummenhorn, 2754 m
Lagginhorn, 4010 m
Lammenhorn, 3189 m
Leiterspitzen, 3469 m
Lenzspitze, 4294 m
Liskamm, 4418 m
4480 m
Ludwigshöhe, 4341 m
Merezenbachschije, 3182 m
Mittaghorn, 3093 m
Mittaghorn, 3014 m
Mittelrück, 3363 m
Monte Leone, 3553 m
Nadelhorn, 4327 m
Nollenhorn, 3185 m
Nordend, 4609 m
Nufenenstock, 2865 m
Oberrothorn, 3415 m
Ochsenhorn, 2912 m
Ofenhorn, 3172 m
Parrotspitze, 4436 m
Pizzo Cervandone, 3210 m
Pizzo Straciugo, 2712 m
Platthorn, 3246 m
Pollux, 4091 m
Portjengrat, 3653 m
Portjenhorn, 3566 m
Punta Valgrande, 2856 m
Rappenhorn, 3176 m
Riffelhorn, 2927 m
Rimpfischhorn, 4198 m
Ritzberge, 2862 m
Ritzhörner, 3047 m
Rothorn, 3287 m
Rothorn, 2887 m
Sattelspitz, 3164 m
Schijenhorn, 2890 m
Schinhörner, 2938 m
Schwarzhorn, 3108 m
Seehorn, 2437 m
Signalkuppe, 4556 m
Simelihorn, 3245 m
Sonnighorn, 3487 m
Spitzhörnli, 2726 m
Sprechhorn, 3189 m
Stecknadelhorn, 4242 m
Steinkalkhorn, 3478 m
Stellihorn, 3436 m
Stockhorn, 3582 m
Strahlhorn, 4190 m
Tällihorn, 3448 m
Täschhorn, 4490 m
Tochenhorn, 2648 m
Tossenhorn, 3225 m
Trifthorn, 3395 m
Turbhorn, 3247 m
Ulrichshorn, 3925 m
Vorder Helsen, 3105 m
Wamischhörner, 2922 m
Wänghorn, 2587 m
Wannenhorn, 2866 m
Wasenhorn, 3246 m
Weißmies, 4023 m
Zermatter Breithorn
Westgipfel, 4165 m
Mittelgipfel, 4160 m
Ostgipfel, 4141 m
Schwarzfluh, 4075 m
Zumsteinspitze, 4563 m

4
Waadtländer Alpen
zwischen Rhone und Sanetsch

Arnenhorn, 2210 m
Cape au Moine, 2351 m
Chaux Ronde, 2027 m
Châtillon, 2477 m
Culan, 2788 m
Dent de Chamosentse, 2712 m
Dent de Corjon, 1966 m
Dent Favre, 2916 m
Dent de Jaman, 1875 m
Dents de Morcles
Grand, 2969 m
Petit, 2931 m
Grand Chavalard, 2898 m
Grand Muveran, 3051 m
Petit Muveran, 2810 m
Gros Van, 2188 m
Gstellihorn, 2817 m
Gummfluh, 2457 m

Haut de Cry, 2969 m
L'Argentine, 2421 m
Le Biolet, 2292 m
Le Chamossaire, 2112 m
Les Diablerets, 3209 m
La Douve, 2170 m
La Fava, 2612 m
La Rionde, 1980 m
Le Rubli, 2284 m
Le Tarent, 2377 m
La Tournette, 2541 m
Mittaghorn, 2312 m
Mont à Cavouère, 2594 m
Mont Gond, 2709 m
Mont d'Or, 2175 m
Mont à Perron, 2667 m
Oldenhorn, 3122 m
Pic Chaussy, 2351 m
Pierre qu'Abotse, 2734 m
Planachaux, 1924 m
Pointe d'Aufalle, 2727 m
Pointe d'Avereyre, 2026 m
Pointes de Châtillon, 2368 m
Pointe des Martinets, 2637 m
Pointe de Perris Blancs, 2575 m
Rocher du Midi, 2096 m
Rochers de Naye, 2041 m
Rocher Plat, 2255 m
Rocher à Pointes, 2239 m
Sanetschhorn, 2923 m
Schlauchhorn, 2578 m
Sex Percé, 2509 m
Sex Rouge, 2845 m
Six Tremble, 2701 m
Tête de Bellalué, 2602 m
Tête d'Enfer, 2762 m
Tête à Grosjean, 2606 m
Tête Noir, 2876 m
Tête Pegnat, 2587 m
Tête à Pierre Grept, 2903 m
Tête Ronde, 3035 m
Tête Tsernou, 2709 m
Tour d'Aï, 2330 m
Tour de Famelon, 2137 m
Tour de Mayen, 2326 m
Tour St-Martin, 2901 m
Witenberghorn, 2350 m

5
Berner Alpen
Sanetsch bis Lötschenpaß
und südlich zur Rhone

Albristhorn, 2761 m
Almengrat, First 2549 m
Alplighorn, 2329 m
Altels, 3629 m
Ammertenhorn, 2666 m
Arpelistock, 3035 m
Balmhorn, 3709 m
Bella Lui, 2548 m
Bonderspitz, 2546 m
Bürglen, 2165 m
Chamossaire, 2616 m
Daubenhorn, 2941 m
Dreimännler, 2436 m
Drunengalm, 2408 m
Elsighorn, 2341 m
Faldum Rothorn, 2832 m
Felsenhorn, 2782 m
Ferdenrothorn, 3180 m
Fitzer, 2458 m
Fromberghorn, 2394 m
Gandhorn, 2112 m
Gantrisch, 2175 m
Gehrihorn, 2130 m
Geltenhorn, 3071 m
Giferhorn, 2541 m
Gletscherhorn, 2943 m
Groß Lohner
  Vorder Lohner, 3048 m
  Mittler Lohner, 3003 m
  Hinter Lohner, 2930 m
  Klein Lohner, 2583 m
  Mittaghorn, 2677 m
  Nünihorn, 2716 m
Groß Strubel, 3243 m
Gsür, 2708 m
Hahnenschritthorn, 2833 m
Hundsrügg, 2046 m
Keibihorn, 2459 m
Kindbettihorn, 2692 m
Kirgelischeibe, 2287 m
Ladholzhorn, 2487 m
Lämmernhorn, 2804 m
La Motte, 2828 m
Lauchernspitzen, 2843 m
Lauenenhorn, 2477 m
Laufbodenhorn, 2701 m
Les Faverges, 2968 m
Mähre, 2087 m
Majinghorn, 3053 m
Männlifluh, 2652 m
Mittaghorn, 2685 m
Mont Bonvin, 2965 m
Mont Pucel, 3176 m
Niederhorn, 2077 m
Niesen, 2362 m
Niesenhorn, 2776 m
Niwen, 2769 m
Ochsen, 2138 m
Pointe d'Héremence, 2731 m
Prabé, 2042 m
Pra Roua, 2486 m
Rauflihorn, 2322 m
Regenbolshorn, 2192 m
Restirothorn, 2969 m
Riedbündihorn, 2454 m
Rinderhorn, 3454 m
  Kleines Rinderhorn, 2975 m
Rohrbachstein, 2950 m
Roter Totz, 2840 m
Rotstock, 2624 m
Schafhorn, 2697 m
Scheibe, 2150 m
Schneehorn, 3177 m
Schneidehorn, 2937 m
Seewlenhorn, 2529 m
Sex Noir, 2711 m
Sex Rouge, 2891 m
Sillern, 1977 m
Six des Eaux Froides, 2905 m
Spillgerten
  Vorder, 2252 m
  Hinder, 2476 m
Spitzhorn, 2806 m
Standhorn, 2338 m
Steghorn, 3174 m
Steinschlaghorn, 2321 m
Stockhorn, 2190 m
Tatlishorn
  Ober, 2931 m
  Unter, 2497 m
Tierhörnli, 2894 m
Torrenthorn, 2997 m
Tothorn ou Sex Mort, 2933 m
Trubelnstock, 2997 m
Tschingellochtighorn, 2735 m
Tschipparellenhorn, 2397 m
Tubang, 2836 m
Türmlihorn, 2491 m
Turnen, 2079 m
Wasserngrat, 2191 m
Wetzsteinhorn, 2781 m
Widdergalm, 2174 m
Widdersgrind, 2103 m
Wildhorn, 3247 m
Wildstrubel, 3243 m
Winterhorn, 2608 m
Zayetahorn, 2778 m

6
Berner Alpen
Lötschenpaß–Grimsel
Thunersee–Rhone

Aerlengrätli, 3193 m
Aerlenhorn, 2453 m
Aermighorn, 2742 m
Agassizhorn, 3953 m
Aletschhorn, 4195 m
  Klein Aletschhorn, 3745 m
Alpjahorn, 3143 m
Alplistock, 2877 m
Anengrat, 3716 m
Ankenbälli, 3605 m
Ankenbälli, 3164 m
Augstkummenhorn, 2880 m
Axalphorn, 2321 m
Bächlistock, 3247 m
Beichgrat, 3292 m
Berglistock, 3655 m
Bettlerhorn, 2535 m
Bettmerhorn, 2867 m
Bietenhorn, 2756 m
Bietschhorn, 3934 m
Birghorn, 3242 m
Birre, 2502 m
Blumhorn, 2499 m
Blümlisalp, 3664 m
Blümlisalp Rothorn, 3297 m
Blümlisalpstock, 3221 m
Brandlammhörner, 3108 m
  3088 m
Breitlauihorn, 3655 m
Brunberg, 2982 m
Bundstock, 2758 m
Burstspitzen, 3195 m
Büttlassen, 3192 m
Diamantstock
  Kleiner, 2839 m
  Großer, 3162 m
Distlighorn, 3717 m
Doldenhorn
  Klein, 3475 m
  Groß, 3643 m
Dossenhorn, 3142 m
Dreieckhorn, 3810 m
  Klein Dreieckhorn 3641 m
Dreispitz, 2520 m
Dündenhorn, 2861 m
Ebnefluh, 3960 m
Eggishorn, 2926 m
Eiger, 3970 m
Ellstabhorn, 2830 m
Elwerrück, 3380 m
Elwertätsch, 3208 m
Escherhorn, 3100 m
Ewigschneehorn, 3329 m
Faulberg, 3242 m
Faulhorn, 2680 m
Fiescher Gabelhorn, 3875 m
Fiescherhorn
  Groß, 4048 m
  Hinter, 4025 m
Finsteraarhorn, 4273 m

Finsteraar Rothorn, 3530 m
Fisistock
  Innerer, 2787 m
  Äußerer, 2945 m
Foggenhorn, 2569 m
Fründenhorn, 3368 m
Fußhörner, I–XIII, 3627 m
Gallauistöcke, 2869 m
Galmihorn
  Vorderes, 3518 m
  Hinteres, 3490 m
Geißhorn, 3740 m
Gerstenhorn, 2926 m
Gletscherhorn, 3983 m
Golegghorn, 3063 m
Gredetschhörnli, 3646 m
Grisighorn, 3176 m
Großes Fußhorn, 3626 m
Großhorn, 3762 m
Großhorn, 2995 m
Grubhorn, 3192 m
Grünegghorn, 3863 m
Grunerhorn, 3439 m
Grünhorn
  Klein, 3913 m
  Groß, 4043 m
Gspaltenhorn, 3437 m
Gummihorn, 2101 m
Gwächtenhorn, 3157 m
Hangendgletscherhorn, 3291 m
Hockenhorn, 3293 m
Hofathorn, 2844 m
Hohe Gwächte, 3086 m
Hohgleifen, 3278 m
  Adlerspitzen
Hohstock, 3226 m
Hörnli, 2926 m
Hühnerstock, 3307 m
Hühnertälihorn, 3179 m
Hundshorn, 2928 m
Jägihorn, 3406 m
Jägihorn, 3071 m
Juchlistock, 2590 m
Jungfrau, 4158 m
Kamm, 3866 m
Kilchfluh, 2833 m
Kistenhorn, 2785 m
Kleine Lauteraarhörner
  3737 m
  3648 m
Klein Nesthorn, 3336 m
Kranzberg, 3737 m
Krindelspitzen, 3017 m
Krutighorn, 3020 m
Läghorn, 2878 m
Lauberhorn, 2472 m
Laucherhorn, 2230 m
Lauteraarhorn, 4042 m
Lauteraar Rothörner, 3477 m
  3466 m
Lauterbrunner Breithorn, 3782 m
Lauterbrunner Wetter-
  horn, 3241 m
Lobhörner, 2566 m
  Orgelpfeife
  Daumen
  Dritter Turm
  Zipfelmütze
  Fünfter Turm
Löffelhorn, 3095 m
Lonzahörner
  3560 m
  3547 m
  3520 m
Lötschentaler Breithorn, 3784 m
Männlichen, 2342 m
Mettenberg, 3104 m
Mittaghorn, 3897 m
Mittelhorn, 3704 m
Mönch, 4099 m
Morgenberghorn, 2248 m
Morgenhorn, 3612 m
Mutthorn, 3043 m
Nässihorn, 3494 m
Nesthorn, 3824 m
Oberaarhorn, 3638 m
Oberaar Rothorn, 3463 m
Ochs, 3900 m
Olmenhorn, 3314 m
Oltschiburg, 2234 m
Oeschinenhorn, 3486 m
Petersgrat, 3207 m
Pfaffenstöckli, 3114 m
Renfenhorn, 3259 m
Ritzlihorn, 3263 m
Rosenhorn, 3689 m
Roßhörner, 3129 m
Rotstock, 3701 m
Rottalhorn, 3969 m
Sackhorn, 3212 m
Sägezahn, 2712 m
Salzhorn, 2570 m
Sattelhorn, 3741 m
Schaflägerstöcke, 2855 m
Scheuchzerhorn, 3467 m
Schilthorn, 3122 m
Schilthorn, 2970 m
Schinhorn, 3796 m
Schneehorn, 3408 m
Schönbühlhorn, 3853 m
Schreckhorn
  Großes, 4078 m
  Kleines, 3494 m
Schwalmern, 2777 m
Schwarzhorn, 3126 m
Schwarzhorn, 2928 m
Schwarzhorn, 2658 m
Schwarz Mönch, 2648 m
Sidelhorn, 2764 m
Silberhorn, 3695 m
Setzenhorn, 3062 m
Sparrhorn, 3020 m
Sulegg, 2413 m
Stampfhorn, 2552 m
Steinlauenenhorn, 3162 m
Stockhorn, 3211 m
Strahlegghörner, 3462 m
Strahlhorn, 3200 m
Strahlhorn, 3195 m
Strahlhorn, 3026 m
Studerhorn, 3638 m
Tällerngrat, 2886 m
Tellispitzen, 3082 m
Tennbachhorn, 3012 m
Tierberg
  Hinterer, 3205 m
  Vorderer, 3111 m
Tieregghorn, 3072 m
Trifthörner, 3229 m
  3240 m
Trugberg, 3932 m
Tschingelhorn, 3577 m
Tschuggen, 2520 m
Unterbächhorn, 3554 m
Wachtlammstock, 2399 m
Walcherhorn, 3695 m
Wannehorn, 3120 m
Wannenhorn
  Groß, 3905 m
  Klein, 3706 m
Wasenhorn, 3446 m
Weiße Frau, 3652 m
Weißhorn, 3542 m
Wellhorn, 3191 m
  Kleines Wellhorn, 2701 m
Wetterhorn, 3701 m
Wetterlatte, 2008 m
Wild Andrist, 2848 m
Wilde Frau, 3259 m
Wildgerst, 2891 m
Wilerhorn, 3307 m
Wiwannihorn, 3000 m
Zahlershorn, 2743 m
Zahm Andrist, 2681 m
Zenbächenhorn, 3287 m
Zinggenstock
  Hinterer, 3041 m
  Vorderer, 2920 m

7
Engelhörner

Aebnisgrat, 2735 m
Engelburg, 2302 m
Froschkopf, 2674 m
Gemsenspitze, 2617 m
Gertrudspitze, 2632 m
Groß Engelhorn, 2781 m
Gstellihorn
  Groß, 2854 m
  Klein, 2658 m
  Gstelliburg, 2701 m
Haubenstock, 2682 m
Hohjägiburg, 2639 m
Kastor, 2522 m
Kingspitz, 2621 m
Klein Engelhorn, 2634 m
Mittelspitze, 2634 m
Niklausspitze, 2671 m
Pollux, 2488 m
Prinz
  Oberer, 2621 m
  Unterer, 2581 m
Rosenlauistock, 2197 m
Sagizähne, 2716 m
Sattelspitzen, 2336 m
Simelistock
  Groß, 2482 m
  Klein, 2383 m
Tannenspitze, 2255 m
Tennhorn, 2520 m
Ulrichspitze, 2636 m
Urbachengelhorn, 2768 m
Vorderspitze, 2618 m

8
Freiburger Alpen

Bifé, 1561 m
Cape au Moine, 1941 m
Combifluh, 2004 m
Corbex, 1898 m
Dent de Bimis, 2157 m
Dent du Bourgo, 1908 m
Dent de Bourgoz, 1912 m
Dent de Brenleire, 2353 m
Dent de Broc, 1832 m
Dent du Chamois, 1830 m
Dent de Folliéran, 2339 m
Dent de Lys, 2014 m
Dent de Vounetz, 1816 m
Fochsenfluh, 1978 m
Folliu Borna, 1849 m

- Gastlosen
  - Gratfluh, 1949 m
  - Vordere Spitze, 1960 m
  - Aiguille de la Poire, 1965 m
  - Chemigupf, 1972 m
  - Grande Aiguille, 1950 m
  - Glattewand, 1998 m
  - Pointe Staub, 1890 m
  - Gastlosenspitze, 1998 m
  - Turm, 1960 m
  - Grand Grenadier, 1915 m
  - Marchzahn I–V, 1995 m
  - Petit Grenadier, 1950 m
  - Aiguille Penchée, 1935 m
  - Pyramide, 1975 m
  - Chat, 1944 m
  - Daumen, 1940 m
  - Petit Pouce, 1907 m
  - Eggturm, 1936 m
  - Gabeldaumen, 1854 m
  - Waldeckspitze, 1919 m
  - Roche Percée, 1969 m
  - Öfenspitzen, 2014 m
  - Pfadfluh, 2070 m
  - Sparrengrat, 2096 m
  - Weißfahnespitze, 2097 m
  - Dünnefluh, 2091 m
  - Rothespitze, 2083 m
  - Hangfluh, 2076 m
  - Tour de Berne, 1930 m
  - Groß Turm, 2129 m
  - Lochgrat, 2118 m
  - Rüdigenspitze, 2130 m
  - Birrenfluh, 2075 m
  - Wandfluh, 2132 m
  - Pointe de Rachevi, 2090 m
  - Amelier, 2132 m
  - Capucin, 2158 m
  - Dent de Ruth, 2236 m
  - Dent de Savigny, 2252 m
  - Vanil de la Gobettaz, 2112 m
  - Pointe à l'Echelle, 2090 m
  - Jumelle, 2083 m
  - Corne Aubert, 2039 m
- Gros Brun, 2107 m
- Hochmatt, 2151 m
- Kaiseregg, 2188 m
- Körblifluh, 2106 m
- La Berra, 1722 m
- Laubspitz, 1799 m
- Les Courcys, 1864 m
- Le Gros Vanil Carré, 2195 m
- Le Moléson, 2002 m
- Les Sex
  - Petit Sex, 1886 m
  - Grand Sex, 1908 m
- Neuschelsflühe, 1972 m
- Petit Brun, 2088 m
- Pointe de Bremingard, 1925 m
- Pointe de Cray, 2070 m
- Schafarnisch, 2110 m
- Schafberg, 2238 m
- Schwarze Fluh, 2159 m
- Schweinsberg, 1648 m
- Spitzfluh, 1952 m
- Teysachaux, 1909 m
- Tzermont, 2134 m
- Vanil des Artses, 1993 m
- Vanil Blanc, 1826 m
- Vanil du Croset, 2110 m
- Vanil de l'Ecrit, 2375 m
- Vanil du Gros Perré, 2208 m
- Vanil Noir, 2388 m
- Vanil d'Osseyres, 2015 m
- Vanil de Paray, 2373 m

9
Urner Alpen
von der Grimsel bis zum
Sandpaß [Planura]

- Alpgnoferstock, 2767 m
- Bächenstock, 3008 m
- Bächenstock, 2944 m
- Badus [Six Madun], 2927 m
- Bälmeten, 2414 m
- Bärenzähn, 2857 m
- Benzlauistock, 2530 m
- Bergseeschijen, 2815 m
- Blauberg, 3039 m
- Blauhörnli, 2404 m
- Brichplanggenstock, 3011 m
- Bristen, 3072 m
- Büelenhorn
  - Groß, 3206 m
  - Klein, 2940 m
- Calmut, 2311 m
- Chastelhorn, 2973 m
- Chüeplanggenstock, 3207 m
- Crispalt, 3076 m
- Culmatsch, 2897 m
- Dammastock, 3629 m
- Dammazwillinge, 3275 m
- Diechterhorn, 3389 m
- Diederberg, 2658 m
- Düssistock, 3256 m
- Eggstock, 3554 m
- Fedenstock, 2985 m
- Federälpler [Wissen], 2969 m
- Feldschijen, 3021 m
- Fibbia, 2737 m
- Fleckistock, 3416 m
- Fruttstock, 2838 m
- Fünffingerstöck, 2994 m
  - Flamme, 2993 m
- Fünffingerstock, 2926 m
- Furkahorn
  - Kleines, 3026 m
  - Großes, 3169 m
- Galenstock, 3583 m
- Gelmerhorn
  - Kleines, 2605 m
  - Großes, 2630 m
  - Gelmerspitzen, I–VII
  - Hintere Gelmerhörner
- Gemsstock, 2961 m
- Gerstenhörner
  - 3166 m
  - 3184 m
  - 3172 m
- Giglistock, 2900 m
- Gletschhorn, 3305 m
- Grassen, 2946 m
- Grießenhorn
  - Klein, 2851 m
  - Groß, 3202 m
- Griesstock
  - Vorderer, 2662 m
  - Mittlerer, 2730 m
  - Hinterer, 2734 m
- Großer Schijen, 2784 m
- Gurschenstock, 2865 m
- Gwächtenhorn, 3375 m
- Gwächtenhorn, 3214 m
- Gwasmet, 2874 m
- Gwasmet, 2841 m
- Heimstock, 3102 m
- Höch Fulen, 2506 m
- Hoch Horefellistock, 3176 m
- Hoch Sewen, 2965 m
- Höhlenstock, 2903 m
- Hüenerstock, 2889 m
- Kalkschijen
  - Hintere, 2880 m
  - Mittlere, 2780 m
  - Vordere, 2740 m
- Kilchlistock, 3114 m
- Krönten, 3107 m
- Krüzlistock, 2717 m
- Leckihorn, 3065 m
- Lochberg, 3074 m
- Mähren, 2970 m
- Mährenhorn, 2922 m
- Mäntliser, 2876 m
- Mäßplanggenstock, 2561
- Meiggelenstock, 2416 m
- Mettenberg, 2734 m
- Miesplanggenstock, 2874 m
- Mittagstock, 2951 m
- Monte Prosa, 2736 m
- Müeterlishorn, 3058 m
- Muttenhorn
  - Groß, 3099 m
  - Klein, 3024 m
  - Stotzig, 3061 m
- Oberalpstock, 3327 m
  - Klein Oberälpler, 3085 m
- Ofenhorn, 2933 m
- Pazola Stock, 2739 m
- Péz Acletta, 2911 m
- Péz Alpetta, 2764 m
- Péz Ault
- Péz Brit, 2801 m
- Péz Cambrialas, 3208 m
- Péz Carardiras, 2964 m
- Péz Cazarauls, 3063 m
- Péz Gendusas, 2980 m
- Péz Giuv, 3096 m
  - Giuvstöckli, I–VI
- Péz Lumpegna, 2819 m
- Péz Nair, 3059 m
- Péz Run, 2914 m
- Péz Tiarms, 2918 m
- Péz Val Pintga, 2957 m
- Pézza de Strem
  - 2876 m
  - 2838 m
  - 2810 m
  - 2777 m
  - 2649 m
- Piz Alv, 2769 m
- Piz Lucendro, 2963 m
- Piz Orsirora, 2603 m
- Pizzo Centrale, 3001 m
- Pizzo di Pesciora, 3122 m
- Pizzo Prevat, 2876 m
- Pizzi Rotondo, 3192 m
- Pizzo della Valletta, 2718 m
- Poncione di Rovino, 2964 m
- Pucher, 2933 m
- Radlefshorn, 2591 m
- Reißend Nollen, 3003 m
- Rhonestock, 3595 m
- Rienzenstock, 2957 m
- Rinderstock, 2462 m
- Rohrspitzli, 3220 m
- Roßbodenstock, 2835 m
- Rot Wichel, 3084 m
- Ruchen
  - Groß, 3138 m
  - Klein, 2944 m
  - Ruchen Nadel, 3024 m
- Ruchen, 2628 m
- Ruchen, 2812 m
- Ruchenfensterstock, 2930 m
- Ruchenfensterturm, 2918 m
- Salbitschijen, 2981 m
  - Salbittürme, I–V
  - Zwillingsturm

Saßhörner
3036 m
2990 m
3029 m
Saßstock, 2773 m
Schafschijen, 2840 m
Schaubhorn, 2683 m
Scherhorn
Groß, 3294 m
Klein, 3234 m
Schijenstock, 2885 m
Schloßberg, 3132 m
Schneehüenerstock, 2773 m
Schneestock, 3608 m
Schwarz Grat, 2017 m
Sewenstock, 2820 m
Sittliser, 2445 m
Spannort
Groß, 3198 m
Klein, 3140 m
Adlerspitze
Falkenturm
Spitzberg, 2934 m
Stäfelstock, 2918 m
Steinhaushorn, 3120 m
Stotzig Grat, 2989 m
Straligen Stöckli, 2928 m
Stucklistock, 3308 m
Sunnig Stöcke, 2110–2713 m
Sunnig Wichel, 2911 m
Sustenhorn, 3504 m
Klein Sustenhorn, 3315 m
Sustenspitz, 2930 m
Taghorn, 2090 m
Tälistock, 3185 m
Tellistock, 2579 m
Tiefenstock, 3515 m
Tieralplistock, 3382 m
Tierberg
Vorder, 3094 m
Hinter, 3443 m
Titlis, 3239 m
Trotzigplanggstock, 2954 m
Tschingelstöcke, 2872 m
Uratstock, 2911 m
Wängihorn, 2148 m
Wasenhorn, 2926 m
Wendenhorn, 3023 m
Wendenstöcke, 3042 m
Wichelhorn, 2767 m
Wichelplanggstock, 2974 m
Wichelschijen, I–IV,
2790–2840 m
Windgälle
Große, 3187 m
Kleine, 2986 m
Winterberg, 3167 m
Winterhorn, 2660 m
Winterstock
3203 m
3176 m
3172 m
Wiß Nollen, 3398 m
Witenalpstock, 3016 m
Witenwasserenstock, 3082 m
Zwächten, 2995 m

10
Tessiner Alpen

Basòdino, 3272 m
Bedriolhorn, 2921 m
Camoghè, 2228 m
Camoghei, 2356 m
Campo Tencia, 3071 m
Chüebodenhorn, 3069 m
Cima Bianca, 2612 m
Cima di Biasagno, 2417 m
Cima di Biasca, 2574 m
Cima di Bresciana, 2393 m
Cima di Broglio, 2394 m
Cima di Bri, 2520 m
Cima di Cardedo, 2221 m
Cima d'Efra, 2577 m
Cima di Fornei, 3056 m
Cima di Gagnone, 2518 m
Cima di Gana Bianca, 2842 m
Cima di Gana Rossa, 2786 m
Cima di Lago, 2832 m
Cima di Negroso, 2182 m
Cima di Nimi, 2190 m
Cima di Piancabella, 2670 m
Cima di Precastello, 2359 m
Cima di Rierna, 2460 m
Cima di Sassalto, 2427 m
Cima di Sgiu, 2363 m
Cima dell'Uomo, 2390 m
Colma di Pinaderio, 2461 m
Corno di Gesero, 2227 m
Corona di Redorta, 2804 m
Cristallina, 2911 m
Culpiana, 2416 m
Denti della Vecchia
Sasso Grande, 1491 m
Gaggio, 2267 m
Grieshorn, 2928 m
Helgenhorn, 2837 m
Kastelhorn, 3128 m
La Marcia, 2381 m
Madone, 2756 m
Madone, 2395 m
Madone, 2039 m
Madone di Càmedo, 2445 m
Madone di Formazzolo, 2510 m
Madone di Giove, 2264 m
Madone Grosso, 2742 m
Marchhorn, 2962 m
Martschenspitz, 2688 m
Mognoi, 2650 m
Monte Bar, 1816 m
Monte Generoso, 1701 m
Monte Gradiccioli, 1935 m
Monte Lema, 1619 m
Monte Tamaro, 1961 m
Monte Zucchero, 2735 m
Pecianet, 2764 m
Pilone, 2191 m
Pizzo Alzasca, 2262 m
Pizzo Barone, 2864 m
Pizzo Bombogno, 2331 m
Pizzo Cadreghe, 2510 m
Pizzo di Campioni, 2769 m
Pizzo di Campello, 2660 m
Pizzo Campolungo, 2713 m
Pizzo Cassimoi, 3129 m
Pizzo Cassinello, 3104 m
Pizzo Castello, 2808 m
Pizzo dei Cavagnoli, 2836 m
Pizzo Cavegna, 2280 m
Pizzo Cavergno, 3223 m
Pizzo di Claro, 2720 m
Pizzo Cocco, 2339 m
Pizzo di Corbella, 2065 m
Pizzo del Corno, 2500 m
Pizzo Corombe, 2545 m
Pizzo Costiscio, 2244 m
Pizzo Cramalina, 2322 m
Pizzo Cramosino, 2717 m
Pizzo d'Era, 2619 m
Pizzo Fiorina, 2925 m
Pizzo Foioi, 2628 m
Pizzo Folcra, 2662 m
Pizzo Forno, 2907 m
Pizzo Galarescio, 2728 m
Pizzo Gallina, 3060 m
Pizzo Gana, 2953 m
Pizzo Grandinagia, 2774 m
Piz Jut, 3020 m
Pizzo Lago Gelato, 2617 m
Pizzo del Lago Scuro, 2647 m
Pizzo Magno, 2328 m
Pizzo Malora, 2639 m
Pizzo Masnee, 2205 m
Pizzo Massari, 2759 m
Pizzo Medaro, 2550 m
Pizzo Medola, 2958 m
Pizzo di Mezzodi, 2707 m
Pizzo Molare, 2585 m
Pizzo di Naret, 2584 m
Pizzo Nero, 2904 m
Pizzo Ogliè, 2604 m
Pizzo Orgnana, 2218 m
Pizzo Orsalietta, 2476 m
Pizzo Piancascia, 2359 m
Pizzo delle Pecore, 2381 m
Pizzo Peloso, 2063 m
Pizzo Porcarescio, 2466 m
Pizzo del Prévat, 2558 m
Pizzo Pulpito, 2616 m
Pizzo di Rodi, 2698 m
Pizzo di Ruscada, 2492 m
Pizzo di Ruscada, 2004 m
Pizzo di San Giacomo, 2924 m
Pizzo Sole, 2773 m
Pizzo di Sologna, 2696 m
Pizzo Sorda, 2884 m
Pizzo Tanedo, 2666 m
Piz dell'Uomo, 2662 m
Pizzo di Vogorno, 2442 m
Pizzo Zucchero, 1899 m
Plattenberg, 3042 m
Poncione d'Arbione, 2409 m
Poncione di Braga, 2864 m
Poncione Cavagnolo, 2764 m
Poncione dei Laghetti, 2616 m
Poncione dei Laghetti, 2445 m
Poncione di Manio, 2924 m
Poncione di Mezzodi, 2638 m
Poncione Piota, 2498 m
Poncione Pro do Rodùc, 2507 m
Poncione Rosso, 2505 m
Poncione Sambuco, 2581 m
Poncione Tremorgio, 2669 m
Poncione di Vallegia, 2873 m
Poncione di Vespero, 2717 m
Porta del Corvo, 3015 m
Ritzberg, 2591 m
Rotenkasten, 2218 m
Rosso di Ribbia, 2542 m
Sasso Bello, 2282 m
Schenadùci, 2746 m
Simano, 2579 m
Sonnenberg, 2748 m
Sonnenhorn, 2792 m
Sosto, 2220 m
Tamierhorn, 3067 m
Torrone di Nava, 2832 m
Wandfluhhorn, 2864 m

11

Zentralschweizerische Voralpen
Nördlich Thunersee und Brienzersee–Jochpaß–Surenen–Schächental

Alplerhorn, 2380 m
Alplertorstock, 2622 m
Arnihaaggen, 2207 m
Aubrig
  Groß, 1695 m
  Chli, 1642 m
Augstmatthorn, 2137 m
Blackenstock, 2930 m
Blüemberg
  2405 m
  2383 m
Brienzer Rothorn, 2349 m
Brisen, 2404 m
  Hoh Brisen, 2413 m
Brunnistock, 2952 m
Chlingenstock, 1935 m
Diepen, 2221 m
Druesberg, 2281 m
Engelberger Rotstock, 2818 m
Fluebrig
  Diethelm, 2092 m
  Turner, 2068 m
Fronalpstock, 1922 m
Fulen, 2491 m
Fürstein, 2040 m
Gamperstock, 2273 m
Gemmenalphorn, 2061 m
Giswiler Stock, 2011 m
Gitschen, 2540 m
Glockhaus, 2534 m
Gschwändstock, 1601 m
  Butziflue
Hahnen, 2606 m
Harder
  Rote Fluh, 1731 m
Haupt, 2311 m
Heitlistock, 2146 m
Höch Gumme, 2205 m
Höch Pfaffen, 2458 m
Hochstollen, 2480 m
Hohgant, 2196 m
Hohmad, 2441 m
Huetstock, 2676 m
Hundstock, 2213 m
Kaiserstock, 2515 m
Keiserstuel, 2400 m
Kinzerberg, 2085 m
Kronenstock, 2440 m
Küngstuhl, 2120 m
Laucherenstock, 2638 m
Mittaggüpfi, 1916 m
Mythen
  Großer, 1898 m
  Kleiner, 1811 m
  Haggenspitz, 1761 m
Napf, 1405 m
Niederbauen, 1923 m
Niederhorn, 1959 m
Nünalphorn, 2384 m
Oberbauenstock, 2117 m
Pfaffenstock, 2440 m
Pfaffenturm, 2370 m
Pilatus, 2120 m
Rigi
  Kulm, 1797 m
  Scheidegg, 1661 m
  Hochflue, 1699 m
Rigidalstock, 2593 m
Risetenstock, 1759 m
Rophaien, 2078 m
Roßstock, 2460 m
Rotsandnollen, 2700 m
Ruchstock, 2811 m
Sättelistock, 2636 m
Schächentaler Windgällen
  2763 m
  2747 m
Schafmatt, 1979 m
Schimbrig, 1815 m
Schlieren, 2830 m
Schmalstock, 2012 m
Schrattenflue
  Hengst, 2091 m
Schwalmis, 2246 m
Schwarzstock, 2527 m
Seestock, 2429 m
Sieben Hengste, 1955 m
Sigriswiler Grat
  Rothorn, 2050 m
Sirtenstock, 2300 m
Sirtenturm, 2280 m
Spilauer Stock, 2270 m
Suggiturm, 2085 m
Stanserhorn, 1898 m
Tannhorn, 2221 m
Tomlishorn, 2128 m
Trogenhorn, 1976 m
Uri-Rotstock, 2826 m
Wallenstöcke, 2572 m
Wasserberg First, 2340 m
Widderfeld, 2075 m
Wilerhorn, 2005 m
Wißberg, 2627 m
Wissigstock, 2887 m

12

Glarner Alpen
südlich bis zum Rhein

Bächistock, 2914 m
Bärensolspitz, 1831 m
Bifertenstock, 3425 m
Bockmattli, 1924 m
  Großer Bockmattliturm, 1835 m
  Kleiner Bockmattliturm
  Föhrenturm
  Trepsenstock
Bocktschingel, 3079 m
Bös Fulen, 2802 m
Brigelser Hörner
  Crap Grond, 3196 m
  Cavistrau Grond, 3252 m
  Cavistrau Pign, 3220 m
  Piz Tumpiv, 3101 m
  Piz Dadens, 2773 m
  Piz Dado, 2699 m
Brünnelistock, 2075 m
Bündner Tödi, 3129 m
Chalchhorn, 2684 m
Chamerstock, 2150 m
Chammliberg, 3217 m
Chammlihörner, 3026 m
Claridenhorn, 3119 m
Claridenstock, 3268 m
Chöpfenberg, 1879 m
Chratzerengrat, 2349 m
Crap Masegn, 2491 m
Crest la Siala, 2352 m
Eggstock
  Vorder, 2449 m
  Mittler, 2445 m
  Hinter, 2455 m
Fanenstock, 2234 m
Firzstock, 1923 m
Fronalpstock, 2124 m
Fuggstock, 2370 m
Fürberg
  Großer, 2627 m
  Kleiner, 2605 m
Gandstock, 2315 m
Gassenstock, 2541 m
Geißbützistock, 2720 m
Gemsfairenstock, 2972 m
Gemsistock, 2432 m
Glatten, 2504 m
Gletscherhorn, ohne Kote LK
  Schneehorn, ohne Kote LK
Grisset, 2721 m
Gr. Chilchberg, 2426 m
Gufelstock, 2436 m
Gulderstock, 2520 m
Gulmen, 1828 m
Hanenstock, 2561 m
Hausstock, 3158 m
Höch Turm, 2666 m
Jegerstöck
  2582 m
  2584 m
  2451 m
  2367 m
Kärpf
  Großer Kärpf, 2794 m
  Kleiner Kärpf, 2700 m
Karrenstock, 2421 m
Kistenstöckli, 2745 m
Kleiner Tödi, 3076 m
Leckistock, 2485 m
Leiterberg, 2669 m
Märcherstöckli, 2382 m
Mittaghorn, 2415 m
Mürtschen
  Stock, 2390 m
  Fulen, 2410 m
  Ruchen, 2441 m
Muttenstock, 3089 m
Muttriberg, 2294 m
Nebelchäppler, 2446 m
Nüenchamm, 1903 m
Nüschenstock, 2894 m
Ochsenkopf, 2179 m
Ochsenstock, 2259 m
Ofen, 2873 m
Ortstock, 2716 m
Pfannenstock, 2573 m
Piz d'Artgas, 2785 m
Piz Avat, 2910 m
Piz Cavirolas, 3027 m
Piz Cazarauls, 3063 m
Piz Dado, 3435 m
Piz Frisal, 3292 m
Piz Gliems, 2862 m
Piz Grisch, 2898 m
Piz Ner, 2859 m
Piz Posta biala, 3073 m
P. Scantschala, 2924 m
Piz Schigels, 2564 m
Piz Urlaun, 3360 m
Porphyr, 3327 m
Rad, 2661 m
Rautispitz, 2283 m
Rederterstock, 2292 m
Roßalpelispitz, 2075 m
Roßstock, 2387 m
Rotstock, 2624 m
Rot Tor, 2496 m
Ruchen Glärnisch, 2901 m
Ruchi, 3107 m
Rüchi, 2850 m
Rüchigrat, 2657 m

Schibe
Hintere, 3084 m
Vordere, 2987 m
Schiberg, 2043 m
Schijen, 2608 m
Schilt, 2299 m
Selbsanft
Vorder, 2750 m
Mittler, 2949 m
Hinter, 3029 m
Silberen, 2314 m
Speichstock, 2968 m
Spitzalpelistock
Hinterer, 2937 m
Vorderer, 2929 m
Stoc Grond, 3422 m
Tierberg, 1989 m
Tödi
Piz Russein, 3620 m
Glarner Tödi, 3582 m
Sandgipfel, 3390 m
Tschinglenhörner
2846 m
2849 m
Tüfelsstöck
2960 m
2968 m
2919 m
Vorab
Glarner Vorab, 3018 m
Bündner Vorab, 3028 m
Vorab Pitschen, 2898 m
Vorder Glärnisch, 2328 m
Vorstegstock, 2679 m
Vrenelisgärtli, 2904 m
Wiggis, 2282 m
Wißgandstock, 2404 m
Zindlenspitz, 2097 m
Zuetribistock, 2644 m
Zwölfihörner
Großes, 2744 m
Hinteres, 2741 m
Vordere, I. II. III.

13
Säntisgebiet

Altenalptürm
2019 m
2031 m
Altmann, 2436 m
Amboß, 1926 m
Bogartenfirst, 1811 m
Chreialpfirst, 2125 m
Fälenschafberg, 2103 m
Fälentürm
2224 m
2219 m
2227 m
Fänerenspitz, 1506 m
Freiheit, 2140 m
Freiheittürme
2107 m
2110 m
Gamskopf, 1959 m
Gätterifirst, 2050–2095 m
Girenspitz, 2253 m
Gulmen, 1992 m
Hängeten, 2064–2211 m
Hoher Kasten, 1794 m
Hundstein, 2156 m
Hüser, 1951 m
Jöchli, 2335 m
Kamor, 1751 m
Kirchli, 1914 m
Kreuzberge
I. 1884 m
II. 1970 m
III. 2020 m
IV. 2059 m
V. 2054 m
VI. 2044 m
VII. 2065 m
VIII. 2056 m
Kronberg, 1663 m
Lütispitz, 1986 m
Marwees, 2055 m
Moor, 2344 m
Mutschen, 2121 m
Nadlenspitz, 2030 m
Neuenalpspitz, 1816 m
Öhrli, 2192 m
Roslenfirst, 2151 m
Rot Turm, 2002 m
Säntis, 2501 m
Schafbergturm, 2128 m
Schäfler, 1923 m
Scherenspitzen, 1926 m
Scherenturm, 1907 m
Schwarzkopf, 1948 m
Silberplatten, 2158 m
Silberplattenköpfe, I–VI
Stauberenchanzlen, 1860 m
Stockberg, 1781 m
Stöllen
1986 m
1967 m
Stoß, 2110 m
Widderalpstöck
1986 m
2058 m
2066 m
Wildhuser Schafberg, 2373 m
Wildhuser Schafberg-köpfe, 2311–2325 m

14
Toggenburg und St. Galler Oberland

Älplichopf, 2641 m
Alvier, 2343 m
Brisi, 2279 m
Chäserrugg, 2262 m
Chli Schibe, 2654 m
Chrummhorn, 2706 m
Chüemettler, 1703 m
Crap Mats, 2941 m
Drachenberg, 2605 m
Fanenstock, 2612 m
Federispitz, 1865 m
Felsberger Calanda, 2696 m
Flimserstein, 2694 m
Flügenspitz, 1703 m
Foostock, 2610 m
Frümsel, 2263 m
Fulfirst, 2383 m
Gamsberg, 2384 m
Gamserrugg, 2076 m
Gärtlichöpf, 2298 m
Gauschla, 2310 m
Gigerwaldspitz, 2291 m
Glaserhorn, 3128 m
Glattchamm, 2098 m
Goggeien [Schär], 1655 m
Gonzen, 1829 m
Graue Hörner
Wildseehörner, 2690 m
Lavtinahörner, 2767 m
Schwarze Hörner, 2645 m
Groß Schibe, 2937 m
Gulmen, 1788 m
Haldensteiner Calanda, 2805 m
Hangsackgrat, 2580 m
Hinterrugg, 2306 m
Hochfinsler, 2421 m
Hochwart, 2671 m
Hüenerchopf, 2171 m
Kaminspitz, 1813 m
Laritschchopf, 2498 m
Leistchamm, 2101 m
Magerrain, 2524 m
Margelchopf, 2162 m
Mattstock, 1935 m
Morkopf, 2943 m
Muntaluna, 2421 m
Nägeliberg, 2163 m
Orglen, I–VI, 2720 m
Panärahörner
3106 m
3057 m
Plattenspitz, 2579 m
Pizalun, 1478 m
Piz Mirutta, 2605 m
Piz Sardona, 3055 m
Piz Sax, 2795 m
Piz Segnas, 3098 m
Pizol, 2844 m
Ringelspitz, 3247 m
Roßkirche, ohne Kote LK
Rotrüfner, 2462 m
Sächsmor, 2195 m
Sazmartinhorn, 2827 m
Schafgrat, 2763 m
Schären, 2171 m
Schibenstoll, 2234 m
Selun, 2204 m
Silberspitz
Sennenstein, 1999 m
Sessagit [Turm], 1907 m
Sichelchamm, 2269 m
Simel, 2354 m
Speer, 1950 m
Spitzmeilen, 2502 m
Taminser Calanda, 2389 m
Trinserhorn, 3028 m
Tristelhorn, 3114 m
Tristencholben, 2159 m
Vättner Chopf, 2616 m
Wart, 2068 m
Wißmilen, 2483 m
Zanaihorn, 2821 m
Zinerspitz, 2508 m
Zuestollen, 2235 m
Zweierspitz, 1858 m

15
Mittelbünden zwischen Rhein und Inn

Alperschellihorn, 3039 m
Älpliseehorn, 2725 m
Amperveilerhorn, 2802 m
Amselfluh, 2771 m
Aroser Rothorn, 2980 m
Aroser Weißhorn, 2653 m
Bärenhorn, 2929 m
Bocktenhorn, 3044 m
Bruschghorn, 3043 m
Bühlenhorn, 2807 m
Casanna, 2557 m
Cima Camadra, 3172 m
Cho d'Survetta, 2960 m

Corn Alv, 2980 m
Corn Suvretta, 3071 m
Corn da Tinizong, 3172 m
Crap Grisch, 2861 m
Crasta Mora, 2935 m
Cufercalhorn, 2799 m
Dreibündenstein, 2174 m
Erzhorn, 2923 m
Faltschonhorn, 3022 m
Fanellahorn, 3123 m
Flüela Schwarzhorn, 3146 m
Frunthorn, 3030 m
Furggeltihorn, 3043 m
Furkahorn, 2727 m
Gelbhorn, 3035 m
Glattwang, 2376 m
Grauhorn, 3260 m
Güferhorn, 3381 m
Guggernell, 2744 m
Günerhorn, 2849 m
Guralätschhorn, 2908 m
Hoch Ducan, 3063 m
  Klein Ducan, 3006 m
  Gletscher Ducan, 3019 m
Hochwang, 2532 m
Hohberghorn, 3004 m
Jakobshorn, 2590 m
Jatzhorn, 2681 m
Igls Dschimels
  2777 m
  2782 m
Kirchalphorn, 3039 m
Kistenstein, 2473 m
Krachenhorn, 2890 m
Kühalphorn, 3077 m
Küpfenfluh, 2658 m
La Bianca, 2993 m
La Löggia, 3079 m
La Piramida, 2963 m
Las Trais Fluors, 2954 m
Leidbachhorn, 2908 m
Lentahorn, 3227 m
Lenzerhorn, 2906 m
Lorenzhorn, 3044 m
Marscholhorn, 2962 m
Mattlishorn, 2460 m
Medergerfluh, 2674 m
Montalin, 2266 m
Paradieshörnli, 2963 m
Parpaner Rothorn, 2863 m
Parpaner Schwarzhorn, 2683 m
Parpaner Weißhorn, 2775 m
Piz d'Agnel, 3205 m
Piz Albana, 3099 m
Piz Alpettas, 2978 m
Piz Alpetta, 2863 m
Pizzas d'Anarosa, 3000 m
  2902 m

Piz Arblatsch, 3203 m
Piz Arpschella, 3032 m
Piz Ault, 3121 m
Piz digl Barba Peder, 2746 m
Piz Bardella, 2899 m
Piz Barscheinz, 2617 m
Piz Bever, 3230 m
Piz Beverin, 2997 m
Piz Bial, 3061 m
Piz Blaisun, 3200 m
Piz Blas, 3018 m
Piz Bleisch Marscha, 3128 m
Piz Borel, 2952 m
Piz Cagniel, 2970 m
Piz Calandari, 2555 m
Piz Calderas, 3397 m
Piz de Canal, 2846 m
Piz Caschleglia, 2935 m
Piz Cavel, 2945 m
Piz Cavradi, 2612 m
Piz Champagnung, 2825 m
Piz Chembels, 2981 m
Piz Clüna, 3102 m
Piz dallas Coluonnas, 2960 m
Piz Coroi, 2785 m
Piz Corviglia, 3057 m
Piz Crealetsch, 2950 m
Piz Cristallina, 3128 m
Piz da Cucarnegl, 3051 m
Piz Cugnets, 2739 m
Piz Curvèr, 2971 m
  Curvèr Pintg da Neaza, 2720 m
  Curvèr Pintg da Taspegn, 2730 m
Piz Danis, 2496 m
Piz Ela, 3180 m
Piz d'Emmat dadaint, 2927 m
  Piz d'Emmat dadora, 2851 m
Piz d'Err, 3378 m
Piz Fess, 2880 m
Piz Fòrbesch, 3261 m
Piz Forun, 3052 m
Piz Gaglianera, 3121 m
Piz Gannaretsch, 3039 m
Piz Git, 2968 m
Piz Gren, 2890 m
Piz Grevasalvas, 2932 m
Piz Grialetsch, 3131 m
Piz Griatschouls, 2972 m
Piz Grisch, 3098 m
Piz Güda, 2845 m
Pizza dil Gurschus
  2753 m
  2844 m
  2880 m
Piz Julier, 3380 m
Piz Kesch, 3417 m
  Aguoglia dal Kesch, 3386 m

Piz Lai Blau, 2961 m
Piz Lavinèr, 3137 m
Piz Lunghin, 2780 m
Piz Máler, 2790 m
Piz Marsch, 3120 m
Piz Martegnas, 2670 m
Piz Materdell, 2966 m
Piz Medel, 3210 m
Piz Mitgel, 3158 m
Pizzo Moèsola, 2966 m
Piz Mulix, 2887 m
Piz Mundaun, 2064 m
Piz Muraun, 2897 m
Piz Murterchömbel, 2996 m
Piz Muschaneras, 2604 m
Piz Müsella, 2896 m
Piz Nadéls, 2788 m
Piz Nair, 3057 m
Piz Neir, 2909 m
Piz Ot, 3246 m
Piz Padella, 2884 m
Piz Palpuogna, 2733 m
Piz Paradis, 2883 m
Piz Picuogl, 3333 m
Piz Platta Roggia, 2955 m
Piz Porchabella, 3079 m
Piz Puntota, 3019 m
Piz Radönt, 3065 m
  Radünerköpfe
Piz dal Ras, 3024 m
Piz Ravetsch, 3006 m
Piz Ravigliel, 2987 m
Piz Regina, 2532 m
Piz Rentiert, 2614 m
Piz Riein, 2752 m
Piz Rondadura, 3015 m
Piz Salteras, 3110 m
Piz Saluver, 3159 m
Piz Santeri, 2880 m
Piz Sarsura, 3177 m
  Sarsuret, 3126 m
  Piz Sarsura Pitschen, 3133 m
Piz dal Sasc, 2720 m
Piz Scalottas, 2324 m
Piz Scharboden, 3122 m
Piz Schlattein, 3004 m
Piz Seranastga, 2874 m
Piz Serengia, 2986 m
Piz Sezner, 2309 m
Piz Signina, 2848 m
Piz Spadlatscha, 2871 m
Piz Spegnas, 2620 m
Piz Spinas, 2865 m
Piz Surgonda, 3197 m
Piz Suvretta, 3144 m
Piz Starlera, 2711 m
Piz Stavelatsch, 2753 m
Piz Tarantschun, 2768 m

Piz Terri, 3149 m
Piz Tgietschen, 2857 m
Piz Titschal, 2548 m
Piz Toissa, 2656 m
Piz Tomül, 2946 m
Piz Traunterovas, 3150 m
Piz la Tschera, 2627 m
Piz Üertsch, 3267 m
Piz Uffiern, 3151 m
Piz Uffiern, 3013 m
Piz d'Uglix, 2967 m
Piz d'Urezza, 2906 m
Piz Vadret, 3229 m
  Piz Vadret Pitschen, 3106 m
Piz Valdraus, 3096 m
Piz Vallatscha, 3109 m
Piz Valletta, 2933 m
Piz Val Lunga, 3078 m
Piz Val Müra, 3162 m
Piz Val Nova, 3051 m
Piz Vatgira, 2982 m
Piz Vial, 3168 m
Piz Viluoch, 3042 m
Piz Viroula, 3064 m
Piz de Vrin, 2546 m
Piz Zavretta, 3043 m
Präzer Höhe, 2119 m
Rheinquellhorn, 3200 m
Rheinwaldhorn, 3402 m
Roccabella, 2731 m
Salahorn, 2984 m
Scalettahorn, 3068 m
Schwarzhorn, 3114 m
Schwarzhorn, 3025 m
Schwarzhorn, 2944 m
Schiahorn, 2709 m
Scopï, 3198 m
Sentishorn, 2827 m
Stätzerhorn, 2574 m
Steilerhorn, 2980 m
Teischerhorn, 2688 m
Teurihorn, 2973 m
Tgiern de Vanescha, 2471 m
Tiejerfluh, 2781 m
Tomülgrat, 2738 m
Torrone di Gar zora, 3017 m
Tschima da Flix, 3316 m
Tschima da Tisch, 2871 m
Valbellahorn, 2764 m
Valserhorn, 2885 m
Vogelberg, 3218 m
Wannenspitz, 2444 m
Weißfluh, 2843 m
Weißhorn, 2988 m
Wuosthorn, 2814 m
Zapporthorn, 3151 m
Zervreilerhorn, 2898 m

16
Rätikon, Silvretta, Samnaun

Älpeltispitz, 2685 m
Augstenberg, 3230 m
Bürkelkopf, 3033 m
Canardhorn, 2607 m
Dreiländerspitz, 3197 m
Drusenfluh, 2827 m
Drusentürme
  Großer, 2830 m
  Kleiner, 2754 m
Eckhorn, 3147 m
Eisentälispitz, 2873 m
Falknis, 2562 m
Fergenhorn
  Großes, 2680 m
  Kleines
  Fergenkegel, 2844 m
Flimspitze, 2928 m
Fluchthorn
  3398 m
  3397 m
  3146 m
Flüela Weißhorn, 3085 m
Gemsspitz, 3107 m
Gleckhorn, 2237 m
Gorihorn, 2986 m
Grauspitz, 2599 m
Grübelekopf, 2893 m
Groß Litzner, 3109 m
Hornspitz, 2536 m
Jamspitze
  Vordere, 3176 m
  Hintere, 3156 m
Kessispitz, 2833 m
Keßler, 2836 m
Kirchlispitzen, 2552 m
Kreuz, 2195 m
Krone, 3186 m
Madrisahorn, 2826 m
Muttler, 3294 m
Naafkopf, 2570 m
Paulinerkopf, 2863 m
Pischahorn, 2979 m
Piz d'Antschatscha, 2978 m
Piz Arina, 2828 m
Piz Buin grand, 3312 m
  Piz Buin pitschen, 3250 m
Piz Chamins, 2927 m
Piz Champatsch, 2969 m
Piz Champatsch, 2919 m
Piz Chapisum, 2931 m
Piz da las Clavigliadas, 2984 m
Piz Cotschen, 3030 m
Piz Davo Lais, 3026 m
Piz Faschalba, 3047 m
Piz Fless, 3020 m
Piz Fliana, 3281 m
Piz Jeramias, 3087 m
Piz Larain, 3009 m
Piz Lavèr, 2984 m
Piz Linard, 3410 m
Piz Malmurainza, 3038 m
Piz Mezdi, 2918 m
Piz Minschun, 3068 m
Piz Mottana, 2927 m
Piz Mundin, 3120 m
  Aguoglia dal Mundin
Piz Murtera, 3044 m
Piz Roz, 3097 m
Piz Sagliains, 3101 m
Piz Soèr, 2916 m
Piz Spadla, 2912 m
Piz Tasna, 3172 m
Piz Tiatscha, 3051 m
Piz Tuoi, 3084 m
Piz Urschai, 3097 m
Piz Valtorta, 2975 m
Piz Zadrell, 3104 m
Plattenhörner
  3216 m
  3220 m
  3101 m
  3200 m
Plattenspitzen, 2883 m
  Garneraturm
Rätschenfluh, 2703 m
Roßtälispitz, 2929 m
Rotbühlspitz, 2852 m
Rotfluh, 3166 m
Sassauna, 2307 m
Scheienfluh, 2624 m
  Scheienzahn
Schesaplana, 2964 m
Schiltfluh, 2887 m
Schollberg, 2570 m
Seehorn
  Großes, 3121 m
  Kleines, 3031 m
Seeschyen, 2772 m
Signalhorn, 3207 m
Silvrettahorn, 3244 m
Sulerspitz, 3034 m
Sulzfluh, 2817 m
Stammerspitz, 3254 m
Tschingel, 2541 m
Unghührhörner
  2879 m
  2994 m
  2992 m
Vilan, 2375 m

17
Avers, Splügen, Misox, Calanca

Alta Burrasca, 2652 m
Cima di Barna, 2862 m
Cima di Bedoletta, 2626 m
Cima da Cävi, 2846 m
Cima dei Cogn, 3062 m
Cima di Colle Scengio, 2421 m
Cima di Cugn, 2237 m
Cima di Gaigèla, 2805 m
Cima di Lago, 3083 m
Cima di Lugezzasca, 2716 m
Cima d'Orzo, 2706 m
Cima di Pian Guarnei, 3015 m
Cima dei Rossi, 2726 m
Cima della Sovranna, 3016 m
Cima dello Stagno, 2382 m
Cima di Val Loga, 3004 m
Cima di Verchenca, 2858 m
Cimalmotta, 2835 m
Einshorn, 2943 m
Fil di Dragiva, 2787 m
Fil di Gordasc, 2095 m
Fil di Remia, 2914 m
Fil Rosso, 3160 m
Gletscherhorn, 3107 m
Guggernüll, 2886 m
Guglie d'Altare, 3172 m
Hüreli, 2854 m
Il Pizzaccio, 2588 m
Jupperhorn, 3155 m
Marmontana, 2190 m
Mazzaspitz, 3164 m
Monte Balniscio, 2851 m
Mottone, 2739 m
Mottone, 2692 m
Pan di Zucchero, 2601 m
Piz Alv, 2854 m
Pizzo d'Arbeòla, 2600 m
Pizzo Ardion, 2506 m
Pizzo Bianco, 3036 m
Piz Bles, 3044 m
Piz Cam, 2634 m
Pizzo Campanile, 2556 m
Pizzo di Campedello, 2724 m
Pizzo di Campel, 2376 m
Pizzo Cavriola, 2873 m
Pizzo Corbet, 3025 m
P. di Cressim, 2575 m
Piz del Crot, 2845 m
Pizzo di Curciusa, 2871 m
Piz Duan, 3130 m
Pizzo Ferrè, 3103 m
Piz Forcellina, 2936 m
Pizzo della Forcola, 2620 m
Pizzo Galleggione, 3107 m
Piz Grisch, 3060 m
Pizzo di Groven, 2693 m
Piz Lagrev, 3164 m
Piz Lizun, 2518 m
Pizzo Lumbreda, 2982 m
Piz Mäder, 3001 m
Pizzo Martello, 2459 m
Piz la Mazza, 2815 m
Piz dal Märc, 2909 m
Pizzo della Molera, 2602 m
Pizzo Montagna, 2661 m
Pizzo Mottun, 2853 m
Pizzo Muccia, 2956 m
Piz Muttala, 2960 m
Pizzo Padion, 2631 m
Pizzo Paglia, 2593 m
Pizzo della Palù, 3172 m
Pizzo Papalin, 2714 m
P. di Pianascio, 2827 m
Pizzo Pian Grande, 2689 m
Pizzi dei Piani, 3148 m
Pizzo di Piodella, 2396 m
Piz Piot, 3053 m
Piz Platta, 3392 m
Piz Polaschin, 3013 m
Pizzo Pombi, 2967 m
Piz Por, 3028 m
Pizzo Rosso, 3053 m
Pizzo Rotondo, 2829 m
Piz Scalotta, 2991 m
Pizzo di Settacio, 2460 m
Pizzo di Settagiolo di
  dentro, 2565 m
Piz Settember, 2727 m
Pizzo Spadolazzo, 2720 m
Pizzo di Stabiuch, 2177 m
P. delle Streghe, 2911 m
Pizzo Tambo, 3279 m
Pizzo Termine, 2902 m
Piz Timun, 3208 m
Pizzo di Trescolmen, 2581 m
Piz Turba, 3018 m
Pizzo del Torto, 2723 m
Piz Ursaregls, 2837 m
Pizzo Uccello, 2719 m
Pizzo Vignone, 2859 m
Pizzo Zoccone, 3092 m
Poncione del Freccione, 3202 m
Poncione della Parete, 2984 m
Punta Levis, 2690 m
Sass Castell, 2515 m
Sass Mogn, 2440 m
Sasso della Guardia, 2092 m
Schiahorn [Avers], 2636 m
Schwarzhörner
  Äußere, 2890 m
  Mittler, 2837 m
  Inner, 2984 m

Schwarzseehorn, 2769 m
Surettahorn, 3027 m
Tälihorn, 3164 m
Tempahorn, 2619 m
Toresella, 2246 m
Torrente Alto, 2950 m
Tscheischhorn, 3019 m
Wängahorn, 2848 m
Weißberg
Äußer, 3052 m
Mittler, 2981 m
Inner, 3002 m

18

Südliche Bergeller Berge
Passo Muretto bis Castasegna

Ago di Sciora, 3205 m
Castel, 2924 m
Cima della Bondasca, 3267 m
Cima di Cantone, 3354 m
Cima di Castello, 3392 m
Cime del Largo
Punta Centrale, 3159 m
Punta Est, 3188 m
Punta Occidentale, 3136 m
Cima di Murtaira, 2857 m
Cima di Rosso, 3366 m
Cima di Spluga, 3046 m
Cima delle Teggiola, 2600 m
Cima di Val Bona, 3033 m
Cima di Vazzeda, 3301 m
Dente del Lupo, 2172 m
Ferro Occidentale, 3276 m
Ferro Orientale, 3199 m
Il Gallo, 2774 m
La Vergine, 2600 m
Lo Scalino, 3164 m
Monte del Forno, 3214 m
Monte Rosso, 3088 m
Monte Sissone, 3330 m
Piz Bacone, 3243 m
Piz Badile, 3308 m
Piz Badilet, 3171 m
Piz Balzetto, 2869 m
Piz Cacciabella Sud, 2900 m
Piz Cacciabella Nord, 2980 m
Piz Casnile, 3189 m
Piz Cengalo, 3370 m
Piz Eravedar, 2934 m
Piz Frachiccio, 2905 m
Pizzi Gemelli
3262 m
3223 m
Piz Grand, 2459 m
Piz Murtaira, 2775 m
Piz dal Päl, 2618 m
Pizzo dei Rossi, 3026 m
Piz Salecina, 2599 m
Piz Spazzacaldera, 2487 m
Fiamma
Dente
Piz Torrone Orientale, 3333 m
Piz Torrone Centrale, 3290 m
Piz Torrone Centrale ovest, 3270 m
Piz Torrone Occidentale, 3349 m
Ago del Torrone, 3233 m
Piz Trubinasca, 2918 m
Piz Val della Neve, 2600 m
Pizzi dei Vanni
P. 2773 m
P. 2734 m
Pizzo Zocca, 3174 m
Punta dell'Albigna, 2824 m
Punta Est dei Pizzi Centrali del Ferro, 3289 m
Punta Pioda di Sciora, 3238 m
Punta Rasica, 3305 m
Punta Sertori, 3195 m
Punta di Trubinasca, 2996 m
Sciora Dadent, 3275 m
Sciora Dafora, 3169 m
Scioretta, 3046 m
Torrione del Ferro, 3234 m

19

Berninagruppe
Passo Muretto bis Berninapaß

Bellavista
3922 m
3892 m
3893 m
3804 m
Cima Sondrio, 3542 m
Cima di Vartegna, 2732 m
Corno di Campascio, 2808 m
Corno dei Marci, 2805 m
Crast'Agüzza, 3869 m
Crasta dal Lej-Sgrischus, 3303 m
Furtschellas, 2932 m
Il Chapütschin, 3386 m
Ils Dschimels
3500 m
3497 m
La Muongia, 3415 m
La Sella
3584 m
3564 m
Monte dell'Oro, 3154 m
Munt d'Arlas, 3127 m
Munt Pers, 3207 m
Piz dals Aguagliouls, 3118 m
Piz dal lej Alv, 3197 m
Piz Alv, 3995 m
Piz Argient, 3942 m
Piz d'Arlas
3357 m
3467 m
Piz Bernina, 4049 m
Piz Boval, 3353 m
Piz Cambrena, 3603 m
Pizzo Canciano, 3103 m
Pizzo Canciano, 2436 m
Piz Caral, 3422 m
Piz Chalchagn, 3158 m
Pizzo Combolo, 2900 m
Piz Corvatsch, 3451 m
Piz Fedoz, 3190 m
Piz Fora, 3363 m
Piz da la Fuorcl'ota, 3382 m
Piz Glüschaint, 3593 m
Piz Güz, 3080 m
Piz Led, 3087 m
Pizzo Malgina, 2877 m
Piz Mandra, 3091 m
Piz da la Margna, 3158 m
Piz Mezdi, 2992 m
Piz Misaun, 3248 m
Piz Morteratsch, 3751 m
Piz Muretto, 3103 m
Piz da l'Ova Cotschna, 2716 m
Piz Palü
3905 m
3882 m
3823 m
Piz Prievlus, 3610 m
Piz Rosatsch, 3123 m
Piz Roseg, 3920 m
Piz Salatschina, 2824 m
Piz San Gian, 3124 m
Pizzo Sareggio, 2779 m
Piz Scerscen, 3971 m
Piz Sella, 3511 m
Piz Surlej, 3188 m
Piz da Staz, 2847 m
Piz Tremoggia, 3441 m
Piz Trovat, 3146 m
Piz Tschierva, 3545 m
Piz Umur, 3252 m
Pizzo Varuna, 3452 m
Piz Zupò, 3995 m
Sassalmason, 3031 m

20

Mittleres und unteres Engadin südlich des Inn

Banderola, 2795 m
Cima di Cárdan, 2904 m
Cima delle Gandi Rossi, 2831 m
Cima di Rüggiol, 2986 m
Cima di Saoseo, 3265 m
Cima del Serraglio, 2684 m
Corno di Campo, 3232 m
Corno di Dosté, 3232 m
Corno Mürisciola, 2819 m
Crasta Burdun, 3133 m
Cuclèr da Jon dad Onsch, 2775 m
Griankopf, 2892 m
Las Suors
3008 m
2978 m
Monte Forcola, 2906 m
Munt Cotschen, 3103 m
Munt Gravatscha, 2752 m
Muntpitschen, 3162 m
Piz dell'Acqua, 3118 m
Piz Ajüz, 2788 m
Piz Ajüz, 2754 m
Piz Albris, 3165 m
Piz Alv, 2974 m
Piz d'Arpiglias, 3027 m
Piz d'Astras, 2980 m
Piz Campasc, 2598 m
Piz Chaschanella, 2929 m
Piz Chaschauna, 3070 m
Piz Chatscheders, 2985 m
Piz Chazfora, 3006 m
Piz Clemgia, 3042 m
Piz Clüx, 3128 m
Piz Confine, 2905 m
Piz Cristannes, 3092 m
Piz Curtinatsch, 2863 m
Piz Daint, 2968 m
Piz dal Diavel, 3062 m
Piz Dora, 2951 m
Piz Dössaradond, 2906 m
Piz d'Esan, 3127 m
Piz Fier, 3058 m
Piz Foraz, 3092 m
Piz Ftur, 3022 m
Piz dal Fuorn, 2908 m
Piz Giarsinom, 2665 m
Piz d'Immez, 3026 m
Piz Ivraina, 2886 m
Piz Lad, 2881 m
Piz Lad, 2784 m
Piz Lagalb, 2959 m
Piz Languard, 3261 m

Piz Laschadurella, 3005 m
Piz Lavetscha, 2790 m
Piz Lavirun, 3052 m
Piz dals Lejs, 3041 m
Piz Lischana, 3105 m
Piz Macun, 2888 m
Piz Madlain, 3098 m
Piz Magliavachas, 3044 m
Piz Mezdì, 2927 m
Piz Mezdì, 2726 m
Piz Mezzaun, 2962 m
Piz Mingèr, 3081 m
Piz Minor, 3049 m
Piz Mon Ata, 2937 m
Piz Muragl, 3157 m
Piz Murtarous, 2928 m
Piz Murtaröl, 3180 m
Piz Murtèr, 2836 m
Piz Murters, 3012 m
Piz Murters, 2969 m
Piz Murtiröl, 2660 m
Piz Nair, 3009 m
Piz Nair, 2951 m
Piz Nuna, 3123 m
  Cuclèr da Nuna
Piz Pala Gronda, 3002 m
Piz Paradisino, 3302 m
Piz Pischa, 3138 m
Piz Pisoc, 3173 m
Piz Plattas, 3052 m
Piz Plavna Dadaint, 3166 m
Piz Plavna Dadora, 2981 m
Piz Plazer, 3004 m
Piz Praveder, 2763 m
Piz Prüna, 3158 m
Piz Quattervals, 3154 m
Piz Rims, 2772 m
Piz Russenna, 2802 m
Piz Sagliant, 2826 m
Pizzo Saliente, 3043 m
Piz Sampuoir, 3023 m
Piz San Jon, 3093 m
Piz S-chalambert Dadora, 2678 m
Piz S-chalambert Dadaint,
  3029 m
Piz Schumbraida, 3124 m
Pizzo di Sena, 3074 m
Piz Serra, 3093 m
Piz Sesvenna, 3204 m
Piz Sursassa, 2968 m
Piz Starlex, 3066 m
Piz la Stretta, 3104 m
Piz Tantermozza, 2983 m
Piz Tavrü, 3167 m
Piz Tea Fondada, 3144 m
Piz del Teo, 3049 m
Piz Terza, 2910 m
Piz Terza, 2681 m
Pizzo Trevisina, 2832 m
Piz Triazza, 3041 m
Piz Trupchum, 2941 m
Piz Turettas, 2957 m
Piz Umbrail, 3031 m
Piz Utèr, 2967 m
Piz Vadret, 3199 m
Piz Vallatscha, 3021 m
Piz Valnera, 3160 m
Piz Vaüglia, 2973 m
Piz Zuort, 3118 m
Punta Casana, 3007 m
Punta di Rims, 2946 m
Sassalbo, 2841 m

Technische Angaben zu den Aufnahmen

Für fast sämtliche Aufnahmen dieses Buches verwendete ich zwei Leicas vom Typ M2 und die folgenden Objektive:

35 mm Leitz Summilux 1:1,4
35 mm Leitz Summaron 1:3,5
85 mm Canon Lens 1:1,8
90 mm Leitz Elmar 1:4
200 mm Leitz Telyt 1:4

Einige Tieraufnahmen und Landschaften [Details] entstanden mit der Pentax Spiegelreflexkamera und dem russischen Objektiv Mirror Telephoto 500 mm 1:8.
Die Leica hat im Gebirge den Vorteil, kompakt gebaut und robust zu sein. Ich habe diese Kamera auch bei schwierigsten Klettereien immer ohne Bereitschaftstasche [Behinderungstasche!] an einem kurzen Riemen um den Hals gehängt. So ist die Kamera auch wirklich bereit, wenn in heikler Situation ein Bild gemacht werden soll.
Für sämtliche Aufnahmen bei genügender Helligkeit habe ich den sehr feinkörnigen Kodak Panatomic-X Film [17 DIN] verwendet. Aufnahmen bei wenig Licht [in der Hütte, Dämmerung] habe ich auf den Kodak Tri-X Film [25 DIN] belichtet.
Farbmaterial: Ektachrome und Kodachrome.
Filter: Gelb-grün-Filter für Schwarzweiß-Landschaften.

Dankeswort

Herzlichen Dank allen Bergkameraden, die mir auf vielen Wegen Begleiter waren. Ohne sie hätte dieses Buch nicht entstehen können. Paul Etter, Bergführer in Walenstadt, verdanke ich einige der schwierigsten Besteigungen. Bergführer René Arnold aus Zermatt war zusammen mit Paul Etter mein Begleiter auf großen Wegen im Wallis. Walter Belina, Bergführer in Chur, war Seilerster an der Badile-Kante. Ernst Brülisauer, der das Gipfelverzeichnis zusammengestellt hat, ist mein Seilgefährte seit zwanzig Jahren.
In meinen Dank besonders einschließen möchte ich die zu große Zahl jener Kameraden, denen die Liebe zu den Bergen zum Verhängnis geworden ist. Dr. Ricco Bianchi, der Autor der naturkundlichen Beiträge, ist wenige Monate nach dem Abschluß seiner Arbeiten am Tinzenhorn abgestürzt. Die Aufsätze Ricco Bianchis sind das Vermächtnis eines leidenschaftlichen Berggängers und Naturwissenschaftlers.

Herbert Maeder

Die Farbaufnahmen der Blumen sind von Dr. Ricco Bianchi; die Aufnahme des Schutzumschlags stammt von Philipp Giegel SVZ.
Den Beitrag «Über die Bewunderung der Berge» von Konrad Geßner durften wir in verdankenswerter Weise dem Werk «Die Entstehung der Alpen», Verlag Huber & Co. AG, Frauenfeld 1934, entnehmen.
Das Werk «Die Berge der Schweiz» ist durch die Mitwirkung der Schweizerischen Verkehrszentrale gefördert worden.